LES PLUS BELLES PRIÈRES ET LES PLUS BEAUX TEXTES SPIRITUELS *du monde entier*

Données de catalogage avant publication (Canada)

Morency, Françoise

Les plus belles prières et les plus beaux textes spirituels

(Collection Spiritualité)

ISBN 2-7640-0396-X

1. Prières. 2. Vie spirituelle. |. Titre. ||. Collection.

BL560.M67 2000 291.4'33 C00-940963-7

LES ÉDITIONS QUEBECOR
7, chemin Bates
Outremont (Québec)
H2V 1A6
Tél.: (514) 270-1746

Bibliothèque nationale du Québec
Bibliothèque nationale du Canada
ISBN: 2-7640-0396-X

Éditeur: Jacques Simard
Coordonnatrice de la production: Dianne Rioux
Conception de la page couverture: Bernard Langlois
Illustration de la page couverture: Louise Léveillé, artiste peintre
Révision: Sylvie Massariol
Correction d'épreuves: Francine St-Jean
Infographie: Jean-François Ouimet, JFO Design

Nous reconnaissons l'aide financière du gouvernement du Canada par l'entremise du Programme d'Aide au Développement de l'Industrie de l'Édition pour nos activités d'édition.

LES PLUS BELLES PRIÈRES ET LES PLUS BEAUX TEXTES SPIRITUELS

du monde entier

Françoise Morency

INTRODUCTION

La prière se trouve au centre de l'expérience spirituelle. On pourrait même dire qu'elle représente la substance même de cette expérience puisque, à travers elle, nous faisons le geste sacré de nous adresser à Dieu, de communiquer avec Lui. Ce rapport être humain-Dieu, beaucoup de gens le redécouvrent aujourd'hui; après avoir délaissé la quête de sens un moment, ils en refont l'expérience avec ravissement. La parole mystique, semble-t-il, n'a jamais été si actuelle.

Cet ouvrage contient non seulement des prières chrétiennes célèbres, mais aussi d'autres moins connues ainsi que des extraits de textes religieux et philosophiques des horizons les plus divers. S'y trouvent également des textes d'écrivains et de poètes.

La prière, ce cri lancé à Dieu, peut être pratiquée de façon libre, dans un rapport direct à Dieu. Par elle, nous pouvons nous affranchir de la vie superficielle et accéder à une vie spirituelle intense, ayant le pouvoir de transformer la personne que nous sommes ainsi que nos relations avec les autres. Comme l'a dit John Main, fondateur, en 1977, du Prieuré bénédictin de Montréal, «le voyage intérieur est une voie d'union. Premièrement, il nous unit à nous-même. Ensuite, à mesure que nous trouvons notre épanouissement personnel au-delà de nous-même, il nous unit aux autres. Et puis, à mesure que l'union aux autres ouvre le cœur au mystère de l'amour en nous, il nous unit à Dieu, pour que Dieu puisse être tout en tout».

À chacun de décider s'il fera ou non ce voyage intérieur, s'il choisira le chemin mystique que beaucoup de gens ont parcouru au fil des siècles, certains lui donnant même leur vie. À ce propos, John Main nous dit: «Les premiers moines étaient des hommes exceptionnels. Ils étaient doués d'une intégrité fervente, d'un engagement absolu liés à une humanité pleine de douceur, d'équilibre mental et de modération. Leur vie spirituelle leur paraissait inséparable de leur vie ordinaire. Ils n'étaient ni des égoïstes spirituels ni des matérialistes spirituels. Ils voyaient dans la voie de la méditation un engagement quotidien vers une réalité qui se renouvelait et s'approfondissait chaque jour.»

Comme ces moines, nous pouvons puiser dans la prière, la méditation et le recueillement une paix infiniment précieuse, un équilibre salutaire. Ceux qui la pratiquent le savent, la prière favorise l'élévation de l'âme et procure une force extraordinaire. Puissent les textes de ce recueil vous aider à trouver en vous-même la joie, la sagesse et la plénitude.

Une conscience nouvelle est à l'œuvre sur terre pour préparer la venue de l'être surhumain. Ouvrez-vous à cette conscience si vous aspirez à servir l'Œuvre divine. Pour pouvoir entrer en rapport avec cette nouvelle conscience, la condition essentielle est de ne plus avoir de désirs et d'être tout à fait sincère.

Mirra Alfassa (1878-1973),
appelée Mère

LA PRIÈRE ET LA RECHERCHE DE DIEU

Il existe deux sortes de prières.

En premier lieu, celles dans lesquelles on demande que des choses déterminées se produisent, et l'on essaie de dire à Dieu ce qu'Il doit faire. On ne laisse au Créateur ni le temps ni l'espace pour agir. Dieu – qui sait très bien quel est le meilleur pour chacun – va continuer de décider comme il Lui convient. Et celui qui prie reste avec la sensation de n'avoir pas été entendu.

Les autres prières sont celles dans lesquelles, même sans comprendre les voies du Très-Haut, l'homme laisse s'accomplir dans sa vie les desseins du Créateur. Il prie pour que lui soit épargnée la souffrance, il demande la joie dans le Bon Combat, mais à aucun moment il n'oublie de dire: «Que Votre volonté soit faite.»

Le guerrier de la lumière prie de cette seconde manière.

Paulo Coelho (1947-), écrivain brésilien
Manuel du guerrier de la lumière

Les facettes du visage de Dieu

«J'ai pratiqué toutes les religions: hindouisme,
islam, christianisme, et j'ai suivi aussi les voies
des différentes sectes de l'hindouisme [...].
Et j'ai trouvé que c'est le même Dieu vers
qui toutes se dirigent, par des voies différentes.
Il vous faut pratiquer une fois pour toutes
les croyances et passer par ces voies diverses.
Je vois que tous les hommes se querellent au nom
de la religion: hindous, mahométans, Brahmas,
Vaishnavites, etc. Et ils ne réfléchissent pas
que celui qui est appelé Krishna est aussi appelé
Shiva, qu'il a pour nom Énergie primitive, Jésus
ou Allah! [...] La Substance est une, mais
elle porte des noms différents. Et chacun cherche
la même substance; et seuls varient le climat,
le tempérament et le nom. Que chacun suive
son chemin! S'il désire sincèrement, ardemment,
connaître Dieu, qu'il soit en paix, Il le réalisera!»

Ramakrishna (1836-1886),
mystique hindou

«Je suis convaincu que toutes les grandes
religions du monde sont fondamentalement vraies.
Elles sont autant de dons que Dieu nous a faits
et je les crois nécessaires à ceux à qui
elles ont été révélées. Je crois également
que si nous pouvions lire les écritures des diverses
religions en épousant chaque fois
le point de vue de leurs adeptes respectifs,
nous nous apercevrions qu'elles sont, à la base,
identiques et se complètent à merveille.»

Mahatma Gandhi (1869-1948),
philosophe et homme politique indien
Tous les hommes sont frères

La prière

Où et quand prier? On peut prier partout. Dans la rue, en automobile, en wagon, au bureau, à l'école, à l'usine. Mais on prie mieux dans les champs, les montagnes et les bois, ou dans la solitude de sa chambre. Il y a aussi les prières liturgiques qui se font à l'église. Mais, quel que soit le lieu de la prière, Dieu ne parle à l'homme que si ce dernier établit le calme en lui-même. Le calme intérieur dépend à la fois de notre état organique et mental et du milieu dans lequel nous sommes plongés. La paix du corps et de l'esprit est difficile à obtenir dans la confusion, le fracas et la dispersion de la cité moderne. [...]

C'est en devenant une habitude que la prière agit sur le caractère. Il faut donc prier fréquemment. «Pense à Dieu plus souvent que tu respires», disait Épictète. Il est absurde de prier le matin et de se conduire le reste de la journée comme un barbare. De très courtes pensées ou invocations mentales peuvent maintenir l'homme en présence de Dieu. Toute la conduite est alors inspirée par la prière. Ainsi comprise, la prière devient une manière de vivre.

Alexis Carrel (1873-1944),
auteur français

L'UNION AVEC DIEU

Notre Père

Notre Père
qui es aux cieux
que ton nom soit sanctifié
que ton règne vienne,
que ta volonté soit faite
sur la terre comme au ciel.

Donne-nous aujourd'hui
notre pain de ce jour.

Pardonne-nous nos offenses,
comme nous pardonnons
à ceux qui nous ont offensés.

Ne nous soumets pas à la tentation,
mais délivre-nous du Mal.

– Ah! Seigneur, qu'ai-je? Hélas, me voici tout en larmes
D'une joie extraordinaire: votre voix
me fait comme du bien et du mal à la fois,
Et le mal et le bien, tout a les mêmes charmes.

Je ris, je pleure et c'est comme un appel aux armes
D'un clairon pour les champs de bataille où je vois
Des anges bleus et blancs portés sur des pavois,
Et ce clairon m'enlève en de fières alarmes.

J'ai l'extase et j'ai la terreur d'être choisi.
Je suis indigne, mais je sais votre clémence,
Ah, quel effort, mais quelle ardeur! Et me voici

Plein d'une humble prière, encor qu'un trouble immense
Brouille l'espoir que votre voix me révéla,
Et j'aspire en tremblant...

– Pauvre âme, c'est cela!

Paul Verlaine (1844-1896),
poète français

Je crois en Dieu

Je crois en Dieu, le Père tout-puissant,
créateur du ciel et de la terre.
Et en Jésus Christ, son Fils unique,
notre Seigneur,
qui a été conçu du Saint-Esprit,
est né de la Vierge Marie,
a souffert sous Ponce Pilate,
a été crucifié, est mort et a été enseveli,
est descendu aux enfers,
le troisième jour est ressuscité des morts,
est monté aux cieux,
est assis à la droite de Dieu
le Père tout-puissant,
d'où il viendra juger les vivants
et les morts.

Je crois en l'Esprit Saint,
à la sainte Église catholique,
à la communion des saints,
à la rémission des péchés,
à la résurrection de la chair,
à la vie éternelle.

Amen.

Je confesse à Dieu

Je confesse à Dieu Tout-Puissant, à la Bienheureuse Vierge Marie toujours vierge, à saint Michel archange, à saint Jean-Baptiste, aux saints apôtres Pierre et Paul, et à tous les saints, que j'ai beaucoup péché par pensées, par paroles, et par actions.

C'est ma faute, c'est ma faute, c'est ma très grande faute. C'est pourquoi je supplie la Bienheureuse Marie toujours vierge, saint Michel archange, saint Jean-Baptiste, les saints apôtres Pierre et Paul, et tous les saints, de prier pour moi le Seigneur notre Dieu.

Comment on trouve Dieu

Mais où donc vous ai-je trouvé, pour vous connaître? Vous n'étiez pas encore dans ma mémoire, avant que je vous connaisse. Où donc vous ai-je trouvé, pour vous connaître, sinon en vous, au-dessus de moi? Là, il n'y a absolument pas d'espace. Ô vérité, vous donnez partout audience à ceux qui vous consultent, et vous répondez en même temps à toutes ces consultations diverses. Vous répondez clairement, mais tous n'entendent pas clairement. Ils vous consultent sur ce qu'ils veulent: mais ils n'entendent pas toujours les réponses qu'ils veulent. Votre meilleur serviteur est celui qui ne songe pas à recevoir de vous la réponse qu'il veut, mais plutôt à vouloir ce que vous lui dites.

Saint Augustin (354-430),
Les confessions

Dieu est au-dedans de nous

Tard je vous ai aimée, Beauté si ancienne et si nouvelle, tard je vous ai aimée. C'est que vous étiez au-dedans de moi, et, moi, j'étais en dehors de moi! Et c'est là que je vous cherchais; ma laideur se jetait sur tout ce que vous avez fait de beau. Vous étiez avec moi et je n'étais pas avec vous. Ce qui loin de vous me retenait, c'étaient des choses qui ne seraient pas, si elles n'étaient en vous. Vous m'avez appelé, vous avez crié, et vous êtes venu à bout de ma surdité; vous avez étincelé, et votre splendeur a mis en fuite ma cécité; vous avez répandu votre parfum, je l'ai respiré et je soupire après vous; je vous ai goûtée et j'ai faim et soif de vous; vous m'avez touché, et je brûle du désir de votre paix.

Saint Augustin (354-430),
Les confessions

La Vierge Marie

Marie est mère de Dieu, mère de Jésus et notre mère, mère de l'Église.

Elle est la mère du monde entier: quand l'ange lui annonça la nouvelle – la bonne nouvelle – qu'elle deviendrait la mère du Christ, c'est à ce moment même qu'en acceptant de devenir la servante du Seigneur elle accepta par là d'être aussi notre mère, au profit de l'humanité tout entière. Marie la mère est l'espérance de l'humanité.

Elle nous a donné Jésus. C'est en devenant joyeusement sa mère qu'elle est devenue médiatrice du salut de l'humanité.

Au pied de la croix, elle est devenue aussi notre mère, car Jésus près de mourir dit qu'il donnait sa mère à saint Jean et saint Jean à sa mère. Nous sommes alors devenus ses enfants.

C'est un des moments les plus beaux de la vie de Marie: Jésus étant entré dans sa vie, elle part aussitôt, en hâte, vers le village d'Élisabeth pour donner Jésus à celle-ci et à son fils. Nous lisons dans l'Évangile que l'enfant «bondit d'allégresse» à cette première rencontre avec le Christ.

Si Jésus a su écouter la Vierge Marie, lui aussi nous devons savoir l'écouter. Devant la croix, nous la trouvons qui participe au Christ dans sa passion. Sans cesse la voici qui vient apporter, dans notre vie et dans la vie du monde, la joie et la paix – et nous conduit à Dieu.

Je ne suis dans la main de Dieu qu'un minuscule outil. Le Seigneur Jésus et Marie ont totalement rendu gloire à Dieu le Père; comme eux, mais petitement, très petitement, je désire rendre totalement gloire à Dieu le Père.

Demandons à la Vierge Marie de rendre nos cœurs «doux et humbles» comme l'était celui de son Fils. Il est si facile d'être orgueilleux, dur, égoïste – oui, si facile; mais nous avons été créés pour de plus grandes choses. Combien nous pouvons apprendre de Marie! Elle n'était si humble que parce qu'elle était toute à Dieu. Elle était emplie de la grâce. Dites à la Vierge de dire à Jésus: «Ils n'ont pas de vin; ils ont besoin du vin de l'humilité et de la douceur, de la bonté et de la gentillesse.» Elle nous répondra certainement: «Faites tout ce qu'il vous dira.»

Mère Teresa de Calcutta (1910-1997)

Verbe de gloire,
Fils bien-aimé de Dieu,
le silence a recouvert
ton nom d'éternité:
tu viens demeurer parmi nous.
La Vierge-Mère t'appelle Jésus:
Emmanuel!

Ô merveilleux échange! Mystère de l'amour:
Jésus, nous demeurons en toi!

Image éternelle du Père,
tu portes notre péché
pour nous vêtir de sainteté.

Parole éternelle du Père,
tu apprends notre langage
pour nous révéler l'indicible.

Lumière éternelle du Père,
tu pénètres dans notre nuit
pour y faire naître le jour.

Sagesse éternelle du Père,
tu deviens nourriture
pour nous donner le goût de Dieu.

Livre des jours, Office romain des lectures, stance 42

Oraison de Jonas dans le ventre de la baleine

Dans ma détresse, j'ai invoqué l'Éternel, et il m'a répondu. Du sein du Séjour des Morts, je t'ai invoqué, et tu as entendu ma voix. Tu m'avais jeté dans l'abîme, au fond de la mer, et les courants m'enveloppaient. Toutes tes vagues et tous tes flots passaient sur moi.

Déjà je me disais: Je suis rejeté loin de tes regards. Permets-moi seulement de voir encore ton saint temple. Les eaux m'environnaient; j'allais perdre la vie. L'abîme me cernait de toutes parts. Les algues entouraient ma tête. J'étais descendu jusqu'aux racines des montagnes; la terre me fermait ses barrières pour toujours. Mais tu m'as fait remonter vivant de la tombe, ô Éternel, mon Dieu!

Quand mon âme défaillait en moi, je me suis souvenu de l'Éternel, et ma prière est parvenue jusqu'à toi, dans ton saint temple. Ceux qui s'attachent à de vaines idoles, ceux-là abandonnent Celui qui leur fait grâce. Mais moi, je t'offrirai des sacrifices, en célébrant tes louanges; j'accomplirai les vœux que j'ai formés. Le salut vient de l'Éternel!

Jon. 2, 3-10

Prière de Kabir

Comment pourrait-il se rompre

Le lien qui nous lie?

Toi, maître, et moi, ton serviteur,

Comme le lotus est serviteur de l'eau,

Et la marée du clair de lune,

Qui veille toute la nuit.

Toujours, du début à la fin,

Il y eut amour entre toi et moi.

Et de quelle façon, alors, cet amour peut-il cesser

D'être le long des temps?

Kabir dit: comme le fleuve plonge dans l'océan,

Ainsi mon esprit plonge en toi.

La lune resplendit dans mon corps,

Mais mes yeux ne peuvent la voir:

La lune est en moi, ainsi que le soleil.

La symphonie de l'éternité, jamais répétée,

Se diffuse en moi,

Mais mes oreilles sourdes ne peuvent l'entendre.

Tant que l'homme vit au nom du Moi et du Mien,

Ses œuvres n'ont aucune valeur:

C'est seulement par le renoncement au Moi et au Mien

Que s'accomplit l'œuvre du Seigneur.

L'œuvre n'a d'autre fin

Que l'acquisition de la connaissance:

Quand on est parvenu à la connaissance

Travailler ne sert plus.

La fleur s'épanouit pour donner le fruit:

Quand le fruit naît, la fleur se flétrit.

La mousse est dans le daim,

Mais le daim ne la cherche pas en lui:

Il erre en cherchant l'herbe.

Kabir, sage musulman indien (1440-1518),
Poésies

À ta recherche

Tant que durera ma vie
je serai à ta recherche
aussi longtemps que durera ma vie
ce sera là ma prière.

Dieu seul connaît la fin
qui m'est réservée.
Le Bien-Aimé est plein de passion
et moi si rempli d'impatience.

Vers Toi seul, Amour
mon âme aspire
tout ce que je souhaite
Bien-Aimé, c'est ton désir.

Où mon cœur, ô Dard,
a-t-il jeté son regard?
Quoi que je contemple
Je ne vois nul autre que Toi.

Khwadja Mîr Dard (1720-1784)

Ô Seigneur, mon adoration monte ardemment vers Toi, tout mon être est comme une aspiration, une flamme qui t'est consacrée.

Seigneur, Seigneur, mon doux Maître, c'est Toi qui veux et vis en moi!

Ce corps est Ton instrument; cette volonté est Ta servante; cette intelligence est Ton outil; et le tout n'est que toi-même.

Mirra Alfassa (1878-1973),
appelée Mère

Qu'il faut se reposer en Dieu par-dessus tous les biens et tous les dons de la nature et de la grâce

(extrait)

Mon âme, c'est en Dieu par-dessus toutes choses
Qu'il faut qu'en tout, partout, toujours tu te reposes
Il n'est point de repos ailleurs que criminel,
Et lui seul est des saints le repos éternel.

Fais donc, aimable Auteur de toute la nature,
Qu'en toi j'en trouve plus qu'en toute créature,
Plus qu'au plus long bonheur de la pleine santé,
Plus qu'aux plus vifs attraits dont charme la beauté,
Plus qu'au plus noble éclat de l'honneur le plus rare,
Plus qu'en tout le brillant dont la gloire se pare,
Plus qu'en toute puissance, et plus qu'au plus haut rang
Où puissent s'élever les Charges, et le sang,
Plus qu'en toute science, et plus qu'en toute adresse,
Plus que dans tous les Arts, plus qu'en toute richesse,

Plus qu'en toute la joie et les ravissements
Que puissent prodiguer de pleins contentements,
Plus qu'en toute louange et toute renommée,
Qu'en toute leur illustre et pompeuse fumée,
Qu'en toutes les douceurs des consolations
Qui soulagent un cœur dans ses afflictions.

Seigneur, puisqu'en toi seul ce vrai repos habite,
Fais-le-moi prendre en toi par-dessus tout mérite
Par-dessus quoi que fasse espérer de plaisir
La plus douce promesse, ou le plus cher désir,
Par-dessus tous les dons que ta main libérale
Pour enrichir une âme abondamment étale

Par-dessus tout l'excès des plus dignes transports
Dont soit capable un cœur rempli de ces trésors,
Par-dessus les secours que lui prêtent les anges,
Par-dessus le soutien qu'il reçoit des archanges,
Par-dessus tout ce gros de saintes légions,
Qui de ton grand palais peuplent les régions,
Par-dessus tout enfin ce que tu rends visible,
Par-dessus ce qui reste aux yeux imperceptible,
Et pour tout dire en un mot tout ce que je conçois,
Par-dessus, ô mon Dieu, tout ce qui n'est point toi.

Car tu possèdes seul en un degré suprême
La bonté, la grandeur, et la puissance même:
Toi seul suffis à tous, toi seul en toi contiens
L'immense plénitude où sont tous les vrais biens;
Toi seul as les douceurs après qui l'âme vole,
Toi seul as dans ses maux tout ce qui la console,
Toi seul as des beautés dignes de la charmer,
Toi seul es tout aimable, et toi seul sais aimer:
Toi seul portes en toi ce noble et vaste abîme
Qui t'environne seul de gloire légitime;
Enfin c'est en toi seul que vont se réunir
Le passé, le présent, avec tout l'avenir,
En toi, qu'à tous moments s'assemblent et s'épurent
Tous les biens qui seront, et qui sont, et qui furent,
En toi, que tous ensemble ils ont toujours été,
Qu'ils sont et qu'ils seront toute l'Éternité.

Ainsi tous tes présents autres que de toi-même
N'ont point de quoi suffire à cette âme qui t'aime;
À moins que de te voir, à moins que d'en jouir,
Rien n'offre à ses désirs de quoi s'épanouir.
Quoi qu'assure à ses vœux ta parole fidèle,
Quoi que de tes grandeurs ta bonté lui révèle,
Elle n'y trouve point à se rassasier,
Quelque chose lui manque où tu n'es pas entier,

Et mon cœur n'a jamais, ni de repos sincère,
Ni par où pleinement se pouvoir satisfaire,
Nul ne repose en toi, si de tout autre don
Il ne fait pour t'aimer un solide abandon,
Si porté fortement à travers les nuages
Jusqu'au-dessus des airs et de tous tes ouvrages
Par les sacrés élans d'un zèle plein de foi
Sur les pieds de ton trône il ne s'attache à toi.

Adorable Jésus, cher époux de mon âme,
Qui dans la pureté fais luire tant de flamme,
Souverain éternel, et de tous les Humains,
Et de tout ce qu'ont fait et ta voix et tes mains,
Qui pourra me donner ces ailes triomphantes
Que d'un cœur vraiment libre ont les ardeurs ferventes?
Afin que hors des fers de ce triste séjour
Je vole dans ton sein pour y languir d'amour?

Quand pourrai-je, Seigneur, bannir toute autre idée,
Et l'âme toute en toi, de toi seul possédée,
T'embrasser à mon aise, et goûter à loisir
Combien ta vue est douce au pur et saint désir?

Quand verrai-je cette âme en toi bien recueillie
Sans plus faire au-dehors d'imprudence saillie,
S'oublier elle-même à force de t'aimer,
Sensible pour toi seul, en toi se transformer,
Ne se plus servir d'yeux, de langue, ni d'oreilles,
Que pour voir, pour changer, pour ouïr tes merveilles,
Et par ces doux transports que tu rends tout-puissants
Passer toute mesure et tout effort des sens,
Pour s'unir pleinement aux grandeurs de ton être
D'une façon qu'à nous tu ne fais pas connaître?

Je ne fais que gémir, et porte avec douleur
Attendant ce beau jour l'excès de mon malheur
Mille sortes de maux dans ce val de misères
Troublent incessamment ces élans salutaires,
M'accablent de tristesse et m'offusquent l'esprit,
Rompent tous les effets de ce qu'il se prescrit,
Le détournent ailleurs, de lui-même le chassent,
Sous de fausses beautés l'attirent, l'embarrassent,
Et m'ôtant l'accès libre à tes attraits charmants
M'empêchent de jouir de tes embrassements,
M'empêchent d'en goûter les douceurs infinies
Qu'aux esprits bienheureux jamais tu ne dénies.

Pierre Corneille (1606-1684),
poète français

Bénédiction

Soyez béni, mon Dieu, qui donnez la souffrance
Comme un divin remède à nos impuretés
Et comme la meilleure et la plus pure essence
Qui prépare les forts aux saintes voluptés.

Je sais que vous gardez une place au poète
Dans les rangs bienheureux des saintes légions
Et que vous l'invitez à l'éternelle fête
Des Trônes, des Vertus, des Dominations.

Je sais que la douleur est la noblesse unique
Où ne mordront jamais la terre et les enfers,
Et qu'il faut pour tresser ma couronne mystique
Imposer tous les temps et tous les univers.

Mais les bijoux perdus de l'antique Palmyre,
Les métaux inconnus, les perles de la mer,
Par votre main montés, ne pourraient pas suffire
À ce beau diadème éblouissant et clair;

Car il ne sera fait que de pure lumière,
Puisée au foyer saint des rayons primitifs,
Et dont les yeux mortels, dans leur splendeur entière
Ne sont que des miroirs obscurcis et plaintifs.

Charles Baudelaire (1821-1867), poète français,
Les Fleurs du Mal, I.

À MARIE

Je vous salue Marie

Je vous salue Marie, pleine de grâce,
le Seigneur est avec vous,
vous êtes bénie entre toutes les femmes,
et Jésus, le fruit de vos entrailles, est béni.
Sainte Marie, Mère de Dieu,
priez pour nous pauvres pécheurs,
maintenant et à l'heure de notre mort.

Amen.

Magnificat

Mon âme exalte le Seigneur,
exulte mon esprit en Dieu mon Sauveur!

Il s'est penché sur son humble servante;
désormais tous les âges me diront bienheureuse.

Le Puissant fit pour moi des merveilles,
saint est son Nom.

Son amour s'étend d'âge en âge
sur ceux qui le craignent.

Déployant la force de son bras,
il disperse les superbes.

Il renverse les puissants de leurs trônes,
il élève les humbles.

Il comble de biens les affamés,
Il renvoie les riches les mains vides.

Il relève Israël son serviteur,
il se souvient de son amour,
de la promesse faite à nos pères en faveur d'Abraham
et de sa race à jamais.

Gloire au Père, au Fils et au Saint-Esprit,
au Dieu qui est, qui était et qui vient, pour les siècles des siècles.

Évangile selon saint Luc 1, 46-55

La Vierge à midi

Il est midi. Je vois l'église ouverte. Il faut entrer.
Mère de Jésus-Christ, je ne viens pas prier.
Je n'ai rien à offrir et rien à demander.
Je viens seulement, Mère, pour vous regarder.
Vous regarder, pleurer de bonheur, savoir cela
Que je suis votre fils et que vous êtes là.
Rien que pour un moment pendant que tout s'arrête.
Midi!
Être avec vous, Marie, en ce lieu où vous êtes.
Ne rien dire, regarder votre visage,
Laisser le cœur chanter dans son propre langage,
Ne rien dire, mais seulement chanter parce qu'on a le cœur trop plein,
Comme le merle qui suit son idée en ces espèces de couplets soudains.
Parce que vous êtes belle, parce que vous êtes immaculée.
La femme dans la Grâce enfin restituée,
La créature dans son honneur premier et dans son épanouissement final,
Telle qu'elle est sortie de Dieu au matin de sa splendeur originale.
Intacte ineffablement parce que vous êtes la mère de Jésus-Christ,
Qui est la seule vérité entre vos bras, et la seule espérance et le seul fruit...
Parce que vous m'avez sauvé, parce que vous avez sauvé la France,
Parce qu'elle aussi, comme moi, pour vous fut cette chose à laquelle on pense.
Parce qu'à l'heure où tout craquait, c'est alors que vous êtes intervenue,
Parce que vous avez sauvé la France une fois de plus,

Parce qu'il est midi, parce que nous sommes en ce jour d'aujourd'hui.
Parce que vous êtes là pour toujours, simplement parce que vous êtes Marie, simplement parce que vous existez.
Mère de Jésus-Christ, soyez remerciée!

Paul Claudel (1868-1955),
poète français

Marie, la plus proche de Dieu... et la plus proche de nous

Il y a des jours où les patrons et les saints ne suffisent pas.
Les plus grands patrons et les plus grands saints.
... Et où il faut monter, monter encore, monter toujours, toujours plus haut, aller encore.
... Il faut prendre son courage à deux mains.
Et s'adresser directement à celle qui est au-dessus de tout.
Être hardi. Une fois.
S'adresser hardiment à celle qui est infiniment belle.
Parce qu'elle est aussi infiniment bonne.
À celle qui intercède.
La seule qui puisse parler avec l'autorité d'une mère.
S'adresser hardiment à celle qui est infiniment pure.
Parce qu'aussi elle est infiniment douce.
... À celle qui est infiniment riche.
Parce qu'aussi elle est infiniment pauvre.
... À celle qui est infiniment petite.
Infiniment humble.
Une jeune mère.
... À celle qui est infiniment joyeuse.
Parce qu'aussi elle est infiniment douloureuse.
... À celle qui est infiniment au-dessus de nous.
Parce qu'aussi elle est infiniment parmi nous.
... À celle qui est la plus près de Dieu.
Parce qu'elle est la plus près des hommes.
... À celle qui est la plus agréable à Dieu.
... la première après Dieu.

Charles Péguy (1873-1914),
écrivain français

Notre-Dame de la protection

Lorsque j'aurai fini de désirer
des joies toutes plus belles que la vie,
que sous un arbre vous m'aurez couchée,
haussez la branche, haussez surtout le fruit
pour que ma bouche refuse de goûter.

Lorsque j'aurai fini de voyager
avec des chagrins plus longs que la vie,
que près de la mer vous m'aurez couchée,
creusez toute la mer à l'infini
pour que mes pas renoncent à la traverser.

Lorsque j'aurai fini de regarder
ces chemins menant plus loin que la vie
et que sous le ciel vous m'aurez couchée,
gardez captive l'aile qui frémit
pour que mes yeux consentent à se fermer.

Marie! lorsque j'aurai fini d'errer
pour des amours plus pures que la vie,
que près d'une croix on m'aura couchée,
que son ombre sur moi soit allongée
pour que mon cœur cesse d'aimer jusqu'à la lie!

Rina Lasnier (1915-1997),
poète québécoise

ÊTRE GUIDÉ

Foyer d'amour

Seigneur, fais de moi
un instrument de ta paix.
Là où est la haine,
que je mette l'amour.
Là où est l'offense,
que je mette le pardon.
Là où est la division,
que je mette l'union.
Là où est l'erreur,
que je mette la vérité.
Là où est le désespoir,
que je mette l'espérance.
Là où est la ténèbre,
que je mette la lumière.
Là où est la tristesse,
que je mette la joie.

Fais, Seigneur,
que je ne cherche pas tant
d'être consolé que de consoler
d'être compris, que de comprendre,
d'être aimé, que d'aimer.

Parce que c'est en se donnant
que l'on reçoit,
en s'oubliant soi-même
que l'on se trouve soi-même,
en pardonnant
que l'on obtient le pardon,
en mourant
que l'on ressuscite à la vie éternelle.

Prière attribuée à saint François d'Assise

Ô Esprit-Saint

Âme de mon âme, je vous adore
éclairez-moi,
guidez-moi,
fortifiez-moi,
consolez-moi,
dites-moi ce que je dois faire,
donnez-moi vos ordres.

Je vous promets, avec votre aide, de me soumettre à tout ce que vous désirez de moi et d'accepter, avec votre aide, tout ce que vous permettrez qu'il m'arrive. Faites-moi connaître votre volonté.

Cardinal Mercier, primat belge
(1854-1926)

«Je vais vous révéler un secret de sainteté et de bonheur, disait le cardinal Mercier en parlant de cette prière au Saint-Esprit, si tous les jours, pendant cinq minutes, vous savez faire taire votre imagination, fermer vos yeux aux choses sensibles et vos oreilles à tous les bruits de la terre pour rentrer en vous-même, et là, dans le sanctuaire de votre âme baptisée, qui est le temple du Saint-Esprit, parler à ce Divin Esprit en lui disant: *Ô Esprit-Saint, âme de mon âme...* Si vous faites cela, votre vie s'écoulera heureuse, sereine et consolée, même au milieu des peines, car la grâce sera proportionnée à l'épreuve, vous donnant la force de la porter, et vous arriverez à la porte du Paradis chargé de mérites. Cette soumission au Saint-Esprit est le secret de la sainteté.»

Le bon Pasteur

Yahvé est mon pasteur,
je ne manque de rien.

Sur des prés d'herbe fraîche il me parque.
Vers les eaux du repos il me mène,
il y refait mon âme.

Il me guide par le juste chemin
pour l'amour de son nom.

Passerais-je un ravin de ténèbres,
je ne crains aucun mal;
près de moi ton bâton, ta houlette
sont là qui me consolent.

Devant moi tu apprêtes une table
face à mes adversaires;
d'une onction tu me parfumes la tête,
ma coupe déborde.

Oui, grâce et bonheur me pressent
tous les jours de ma vie;
ma demeure est la maison de Yahvé
en la longueur des jours.

Psaume 23

Prière de Fénélon

Seigneur, après nous avoir confondus, par la vue de nos misères, consolez-nous par celles de vos miséricordes; faites qu'aujourd'hui enfin nous commencions à nous corriger, à nous détacher, à fuir les faux biens, qui sont pour nous de véritables maux; à ne croire que votre vérité, à n'espérer que vos promesses; à ne vivre que de votre amour. Donnez, nous vous rendrons; soutenez-nous dans notre faiblesse. Fortifiez mon cœur, ô mon Dieu, contre les tentations de cette journée; que je marche en votre présence, que j'agisse dans la dépendance de votre esprit. Ô jour précieux, qui sera peut-être ce dernier d'une vie si courte et si fragile! Ô jour heureux, s'il nous avance vers celui qui n'a pas de fin!

Fénélon (François de Salignac de La Mothe) (1651-1715),
prélat français

Ma prière quotidienne

Si je peux faire du bien aujourd'hui
Si je peux être utile
Si je peux aider d'une bonne parole
Seigneur, montre-moi comment.

Si je peux rendre meilleur
quelque chose de mauvais
Si je peux aider quelqu'un de faible
Si je peux encourager avec mon sourire
Seigneur, montre-moi comment.

Si je peux secourir quelqu'un dans la détresse
Si je peux alléger un fardeau trop lourd
Si je peux donner encore plus de bonheur
Seigneur, montre-moi comment.

Esprit de Dieu, très pur Amour,
Descends dans notre nuit obscure,
Le temps nous tient, la chair nous dure,
Esprit de feu, très pur Amour!

Cœur du Très-Haut, soleil du Christ,
Console-nous du grand hiver,
Transforme avec nous l'univers,
Vigne de grâce, Hôte infini!

Esprit de Dieu, très pur Amour,
Descends dans notre nuit obscure,
La soif nous tient, la mort nous dure,
Esprit de vie, très pur Amour!

Notre âme attend, notre âme a faim,
Sage conseil, ô Vérité,
De voir dans la pleine clarté
Le fruit parfait de tes desseins!

Esprit de Dieu, très pur Amour,
Descends dans notre nuit obscure,
Désir nous tient, douleur nous dure,
Esprit de paix, très pur Amour!

Unique Amour, fais-nous ta proie,
Plie notre orgueil, panse nos plaies,
De ta vigueur viens nous brûler,
Souffle de Dieu, Flamme de joie!

Esprit de Dieu, très pur Amour,
Descends dans notre nuit obscure,
La chair nous tient, le temps nous dure,
Esprit du ciel, très pur Amour!

Invitatoire,
Livre des jours,
Office romain des lectures

Merveille de la loi de Dieu

(extrait)

J'ai choisi le chemin de la loyauté,
je me suis aligné sur tes décisions.
À tes édits, je me tiens collé,
Seigneur, fais que je ne sois pas déçu.
Je cours sur le chemin de tes commandements
car tu m'ouvres l'esprit.
Seigneur, indique-moi le chemin de tes décrets
et ma récompense de les observer.
Rends-moi intelligent, j'observerai ta loi
et je la garderai de tout cœur.
Conduis-moi sur le sentier de tes commandements
car je m'y plais.

Psaume 119

Prière dans le péril

Vers toi, Yahvé, j'élève mon âme,
ô mon Dieu.

En toi je me confie, que je n'aie point honte,
que mes ennemis ne se rient de moi!
Pour qui espère en toi, point de honte,
mais honte à qui trahit sans raison.

Fais-moi connaître, Yahvé, tes voies,
enseigne-moi tes sentiers.
Dirige-moi dans ta vérité, enseigne-moi,
c'est toi le Dieu de mon salut.

En toi tout le jour j'espère
à cause de ta bonté, Yahvé.
Souviens-toi de ta tendresse, Yahvé,
de ton amour, car ils sont de toujours.
Ne te souviens pas des égarements de ma jeunesse,
mais de moi, selon ton amour souviens-toi!

Droiture et bonté que Yahvé,
lui qui remet dans la voie les égarés,
qui dirige les humbles dans la justice,
qui enseigne aux malheureux sa voie.

Tous les sentiers de Yahvé sont amour et vérité
pour qui garde son alliance et ses préceptes.
À cause de ton nom, Yahvé,
pardonne mes torts, car ils sont grands.

Est-il un homme qui craigne Yahvé,
il le remet dans la voie qu'il faut prendre;
son âme habitera le bonheur,
sa lignée possédera la terre.
Le secret de Yahvé est pour ceux qui le craignent,
son alliance, pour qu'ils aient la connaissance.

Mes yeux sont fixés sur Yahvé,
car il tire mes pieds du filet.
Tourne-toi vers moi, pitié pour moi,
solitaire et malheureux que je suis.

Desserre l'angoisse de mon cœur,
hors de mes tourments tire-moi.
Vois mon malheur et ma peine,
efface tous mes égarements.

Vois mes ennemis qui foisonnent,
de quelle haine violente ils me haïssent.
Garde mon âme, délivre-moi,
point de honte pour moi: tu es mon abri.
Qu'intégrité et droiture me protègent,
j'espère en toi, Yahvé.
Rachète Israël, ô Dieu,
de toutes ses angoisses.

David, psaume 25,
Bible de Jérusalem

Permets que je chemine dans la beauté

Ô Grand Esprit,
dont j'entends la voix dans les vents,
et dont le souffle donne vie au monde entier,
écoute-moi.
Je suis petit et faible.
J'ai besoin de ta force et de ta sagesse.
Permets que je chemine dans la beauté
et que mes yeux restent fixés sur les feux rouges et pourpres
du soleil couchant.
Donne à mes mains le respect des choses que tu as créées
et à mes oreilles,
une plus grande sensibilité au son de ta voix.
Donne-moi la sagesse, afin que je puisse comprendre
les choses que tu as enseignées à mon peuple.
Permets que j'apprenne les leçons que tu as cachées
dans chaque feuille et chaque pierre.
J'aspire à être fort, non pour surpasser
mon frère et ma sœur,
mais pour lutter contre mon pire ennemi, moi-même.
Permets que je sois toujours prêt
à venir à toi les mains propres et l'œil clair,
De manière qu'au moment où ma vie déclinera
comme le soleil au couchant,
mon esprit puisse venir à toi sans aucune honte.

Grand Esprit d'amour,
viens à moi avec la puissance du nord.
Donne-moi le courage d'affronter les vents froids de la vie
lorsqu'ils s'abattent sur moi.
Donne-moi la force et l'endurance nécessaires
pour combattre

tout ce qui est dur,
tout ce qui blesse,
tout ce qui me fait grimacer.
Donne-moi de vivre ma vie en étant prêt
à prendre ce qui vient du nord.

Esprit qui te lèves à l'est,
viens à moi avec la puissance du soleil levant.
Permets que la lumière soit dans mes paroles,
Permets que la lumière soit sur la voie
que j'ai empruntée.
Permets que je me souvienne toujours
que tu nous fais don d'un jour nouveau.
Ne permets jamais que je connaisse
la douleur accablante de m'arrêter en chemin.

Grand Esprit de la création,
envoie-moi la chaleur apaisante des vents du sud.
Réconforte-moi et caresse-moi
lorsque je suis las et glacé.
Étreins-moi comme tes douces brises
étreignent tes feuilles sur les arbres.
Et de même que tu le donnes à toute la terre,
Donne-moi ton souffle chaud et stimulant,
afin que je puisse me rapprocher de toi
dans la chaleur.

Grand Esprit qui donne la vie,
je me tiens face à l'ouest,
dans la direction du soleil couchant.
Permets que je me rappelle chaque jour
qu'un moment viendra
où mon soleil se couchera.
Ne permets jamais que j'oublie que je suis voué
à me fondre en toi.
Donne-moi une belle couleur,

Donne-moi un magnifique ciel au couchant,
et quand viendra le temps de te rencontrer,
je viendrai à toi dans la gloire.
Et Toi qui es la source de toute vie,
je te prie sur cette terre
de m'aider à me souvenir tout au long
de mon séjour sur terre
que je suis petit et que j'ai besoin de ta pitié.
Aide-moi à t'être reconnaissant de m'avoir
fait don de la terre
et à ne jamais y cheminer en portant
préjudice au monde.
Accorde-moi d'aimer ce qui provient
de notre mère la terre
et apprends-moi à aimer tes présents.

Grand Esprit des cieux,
élève-moi jusqu'à toi,
que mon cœur puisse t'adorer
et venir à toi dans la gloire.
Rappelle à ma mémoire que tu es mon Créateur,
plus grand que je ne suis,
désireux de m'offrir une bonne existence.
Permets que tout ce qui existe dans le monde
élève mon esprit,
et mon cœur,
et ma vie vers toi
afin que nous puissions toujours venir à toi
dans la vérité et la sincérité.

Prière appartenant à la culture amérindienne,
parfois attribuée au peuple Sioux

Discours du Bouddha

D'autres seraient violents, mais ne soyons pas violents.
D'autres détruiraient la vie, abstenons-nous de le faire.
Abstenons-nous de prendre ce qui n'est pas donné.
Soyons chastes.
Abstenons-nous du mensonge et de la médisance.
Abstenons-nous de paroles dures ou vaines.
D'autres auraient de l'avidité: soyons libres d'avidité.
Soyons libres d'esprit méchant.
Ayons des vues justes, disons des paroles justes.
Ayons des pensées justes, des actions justes, des moyens d'existence justes.
Faisons des efforts justes, ayons l'attention juste.
D'autres auraient la concentration mauvaise, ayons la concentration juste, l'intelligence juste.
D'autres penseraient faussement être libérés, soyons vraiment libérés.
Soyons libres de paresse et de torpeur, soyons libres aussi d'agitation.
Soyons libres de doutes, de colère, de malveillance, d'hypocrisie, de dénigrement, de jalousie, d'avarice, de ruse, de tromperie, d'arrogance.
Soyons obéissants, fréquentons de bons amis.
Soyons libres d'insolence; soyons confiants; ayons le sens de la honte et la crainte du mal.
Soyons bien instruits. Soyons énergiques. Ayons l'attention toujours présente.
D'autres seraient insensés, ayons la sagesse. Ainsi doit être pratiqué le déracinement.

D’autres seraient passionnément attachés à leurs propres opinions sans vouloir les abandonner, ne soyons pas attachés à nos propres opinions sans vouloir les abandonner.
Ainsi doit être pratiqué le déracinement.

Huitième Discours

La force magique

Fais que mes yeux voient ce que tu vois.
Fais que mes oreilles entendent le roulement de ta voix dans les ondes de la création.
Fais que ma parole soit un jaillissement de paroles de nectar qui se déverse dans les âmes brûlées par l'amertume.
Fais que mes lèvres chantent seulement les chants de ton amour et de ta joie.
Aimé, accomplis à travers moi l'œuvre de la vérité.
Tiens mes mains occupées à servir tous mes frères.
Fais que ma voix sème éternellement des graines d'amour pour toi dans le terrain des âmes qui cherchent.
Fais que mon pied avance toujours sur la voie de l'action juste.
Guide-moi de l'obscure ignorance vers ta lumière de sagesse.
Amène-moi des plaisirs éphémères vers ta lumière intérieure toujours renouvelée.
Fais de mon amour ton amour, afin que je puisse
connaître toutes les choses comme miennes.
Père, bats dans mon cœur, et fais-moi sentir de la
sympathie pour toutes les créatures vivantes.
Allume en moi la flamme de ta sagesse et brûle la sombre forêt de mes désirs terrestres.
Que ta raison soit le guide de ma raison.
Pense avec mes pensées, car c'est ta force magique
qui meut mon esprit comme ton esprit,
et mes mains comme tes mains,
et mes pieds comme tes pieds,
et mon âme comme ton esprit,
pour accomplir tes œuvres saintes.

Paramahansa Yogananda (1893-1952), maître hindou,
Les souffles de l'Éternité

Hymne liturgique du XIe siècle

Vénérable céleste, Pur Auguste,

Souverain Seigneur siégeant au-dessus de la voûte azurée, moi (*le célébrant*) et tous les assistants, nous désirons que chaque mot que nous allons prononcer soit un hommage à votre saint nom, profite à nos ancêtres défunts, à nos parents vivants, à tous ceux qui vivent dans ce monde poussiéreux, aux âmes qui sont plongées dans les ténèbres de la longue nuit.

Ô vous qui resplendissez, brillant de clarté,
dans la cité en jade blanc, dans le palais d'or jaune,
Vous êtes le plus saint et le plus pur de tous les êtres,
Vous qui guérissez tous les maux et sauvez
de tous les malheurs...

Lumière éclairante, lumière pénétrante,
Lumière purifiante, lumière consolante,
Seigneur invincible du ciel azuré,
Père miséricordieux de tous les êtres...

Oh! que tous comprennent ce qui fait le péché!
Oh! que tous obtiennent leur pardon complet!
Que leurs passions mauvaises soient éteintes!
Que leur circonspection les préserve des enfers!

Préservez-nous de l'incrédulité, du doute,
de la gourmandise, de l'impureté, de l'envie,
des imaginations vaines et des affections frivoles,
de tout ce qui aveugle ou souille!

Que notre esprit soit recueilli, que nos pensées soient pures,
que notre cœur soit vide, que notre corps soit chaste!
Préservez-nous de l'ambition et des convoitises,
faites-nous calmes, patients, persévérants!

Secourez les malades et tous ceux qui souffrent,
protégez les ermites contre les serpents et les fauves,
les navigateurs contre la fureur des flots,
les hommes paisibles contre les voleurs et les brigands!

Accordez aux animaux de renaître plus haut dans l'échelle,
Donnez la paix aux peuples sur la terre.
Préservez-nous de la guerre et d'un trépas violent.
Donnez la prospérité aux pays et aux nations.
Éclairez tous les hommes de la doctrine qui sauve.
Faites renaître ce qui est mort, et reverdir ce qui est
desséché.

Créateur des humains

Créateur des humains, Grand Dieu, Souverain Maître
De ce vaste univers,
Qui du sein de la terre, à ton ordre, vis naître
Tant d'animaux divers.

À ces grands corps sans ombre et différents d'espèces,
Animés à ta voix,
L'homme fut établi par ta haute sagesse
Pour imposer ses lois.

Seigneur, qu'ainsi ta grâce à nos vœux accordée
Règne dans notre cœur;
Que nul excès honteux, que nulle impure idée
N'en chasse la pudeur.

Qu'un saint ravissement éclate en notre zèle;
Guide toujours nos pas;
Fais d'une paix profonde à ton peuple fidèle
Goûter les doux appas.

Règne, ô Père éternel, Fils, Sagesse incréée,
Esprit-Saint, Dieu de paix,
Qui fais changer des temps l'inconstance durée,
Et ne changes jamais.

Jean Racine (1939-1699),
poète français

Imploration au Dieu inconnu

Mon Dieu, je sais qu'il faut accepter la détresse,
Qu'il faut, dans la douleur, descendre jusqu'en bas,
Mais, dans ce labyrinthe où votre main nous presse,
Puisque vous êtes bon, ne se pourrait-il pas

Que nous entrevoyions du moins la claire issue
Que déjà votre main prépare doucement,
Et qu'un peu de lumière au lointain aperçue,
Nous aide à supporter ce ténébreux moment?

Pourquoi nos maux sont-ils si compacts et si denses
Qu'on semble enseveli dans un obscur caveau?
D'où vient cette funèbre et perfide abondance
Qui submerge le cœur et trouble le cerveau?

Pourtant, les lendemains sont quelquefois si tendres,
On revoit les regards que l'on n'espérait plus.
Mais le bonheur fait mal quand il faut trop l'attendre,
Être sauvés enfin, ce n'est plus être élus.

Consolez-nous parfois dans cette forteresse
Dont vous tenez les clefs et fermez le vitrail;
Laissez-nous pressentir les futures caresses
Et leur fraîche beauté d'eau bleue et de corail!

C'est trop d'être privé de la douce espérance,
D'être comme un forçat serré le long du mur,
Qui ne peut pas prévoir sa juste délivrance,
Car la fenêtre est haute et les verrous sont durs.

Pourquoi ce faste affreux de l'angoisse où nous sommes,
Pourquoi ce deuil royal et ces chagrins pompeux,
Puisqu'il vous plaît parfois d'avoir pitié des hommes
Et de remettre encore le bonheur auprès d'eux?

Faut-il donc au destin ces heures pantelantes,
L'émeut-on par un corps qui tremble et qui gémit?
Nos pleurs sont-ils un peu de cette huile brûlante
Que Psyché répandit sur l'Amour endormi?

S'il se peut, écartez ces moments de la vie
Où nous sommes broyés sous un joug trop étroit,
Et, pareils aux mineurs dans la noire asphyxie,
Nous tentons d'écarter le roc avec nos doigts.

Déjà, loin du plaisir, du monde, des parades,
Mon cœur ardent n'est plus, dans son éclat voilé,
Qu'un feu de bohémiens sur la pauvre esplanade,
Où l'enfant nu console un cheval dételé.

Mais s'il faut que ces jours de supplice reviennent,
S'il faut vivre sans eau, sans soleil et sans air,
Que du moins votre main s'empare de la mienne,
Et m'aide à traverser l'effroyable désert.

La comtesse de Noailles (1876-1933),
poète française

Et je prierai ta grâce

Et je prierai ta grâce de me crucifier
Et de clouer mes pieds à ta montagne sainte
Pour qu'ils ne courent pas sur les routes fermées,
Les routes qui s'en vont vertigineusement
De toi
Et que mes bras aussi soient tenus grands ouverts
À l'amour par des clous solides, et mes mains,
Mes mains ivres de chair, brûlantes de péché,
Soient, à te regarder, lavées par ta lumière
Et je prierai l'amour de toi, chaîne de feu,
De me bien attacher au bord de ton calvaire
Et de garder toujours mon regard sur ta face
Pendant que reluira par-dessus ta douleur
La résurrection et le jour éternel.

Hector de Saint-Denys-Garneau (1912-1943),
poète québécois

L'offrande lyrique

Là où l'esprit est sans crainte et où la tête est haut portée;
Là où la connaissance est libre;
Là où le monde n'a pas été morcelé entre d'étroites parois mitoyennes;
Là où les mots émanent des profondeurs de la sincérité;
Là où l'effort infatigué tend les bras vers la perfection;
Là où le clair courant de la raison ne s'est pas mortellement égaré dans l'aride et morne désert de la coutume;
Là où l'esprit guidé par toi s'avance dans l'élargissement contigu de la pensée et de l'action;
Dans ce paradis de liberté, mon Père, permets que ma patrie s'éveille.

* * *

Que tous les accents de la joie se mêlent dans mon chant suprême – la joie qui fait la terre s'épancher dans l'intempérante profusion de l'herbe; la joie qui sur le large monde fait danser mort et vie jumelles; la joie qui précipite la tempête – et alors un rire éveille et secoue toute vie; la joie qui repose quiète parmi les larmes dans le rouge calice du lotus douleur; la joie enfin qui jette dans la poussière tout ce qu'elle a et ne sait rien.

Rabindranath Tagore,
poète indien (1861-1941)

LES DEMANDES

Prière du matin

Seigneur, dans le silence de ce jour naissant,
Je viens te demander la paix, la sagesse, la force.
Je veux regarder aujourd'hui le monde
Avec des yeux remplis d'amour,
Être patient, compréhensif, doux et sage.
Voir au-delà des apparences
Tes enfants comme tu les vois Toi-même.
Et ainsi ne voir que le bien en chacun.
Ferme mes oreilles à toute calomnie,
Garde ma langue de toute malveillance,
Que seules les pensées qui bénissent demeurent en mon esprit,
Que je sois si bienveillant et si joyeux
Que tous ceux qui m'approchent sentent ta présence.
Revêts-moi de ta beauté, Seigneur,
Et qu'au long de ce jour je te révèle.

Amen.

Souvenez-vous à la Sainte Vierge

Souvenez-vous, Ô très douce Vierge Marie, qu'on n'a jamais entendu dire qu'aucun de ceux qui ont eu recours à votre protection, imploré votre secours et demandé vos suffrages, n'ait été abandonné.

Animés d'une pareille confiance, Ô Vierge des vierges, notre mère, à vos pieds ployés sous le poids de nos fautes, pêcheurs et repentants, nous accourons vers vous. Ô Mère du Verbe incarné, ne méprisez pas nos prières, mais daignez les écouter favorablement et les exaucer.

Oraison de saint Augustin

Bienheureuse Marie, vraiment très digne de toute louange, Vierge glorieuse, Mère de Dieu, Mère sublime dans le sein de laquelle le Créateur du ciel et de la terre s'enferma, ô Mère bienheureuse, qui pourra jamais vous louer et remercier suffisamment à la mesure de vos mérites car, par votre seul assentiment, vous avez sauvé le monde entier. Quelles louanges pourra vous donner la fragilité du genre humain, qui, grâce à vous, a trouvé le moyen d'acquérir la vie éternelle? Acceptez d'un cœur bienveillant ces faibles prières et, connaissant quels sont nos désirs, pardonnez nos fautes par nos oraisons.

Faites que nos oraisons soient exaucées par Dieu et implorez pour nous la grâce de la réconciliation. Implorez pour nous ce que nous demandons dans nos prières et délivrez-nous de toutes les choses que nous craignons; car nous ne trouvons aucun moyen meilleur que celui de vous prendre comme protectrice, puisque vous êtes Mère du Rédempteur et Mère du Juge.

Secourez donc ceux parmi nous qui sont malheureux, aidez les lâches, consolez ceux qui pleurent, priez pour le peuple, suppliez miséricordieusement pour le clergé, intercédez pour le chœur des moines, n'oubliez pas, enfin, la dévotion du sexe féminin. Faites en sorte que tous ceux qui célèbrent dévotement votre saint nom soient consolés.

Soyez miséricordieuse pour ceux qui sont affligés, soyez pleine de pitié envers les pèlerins du royaume des cieux. Et lorsque vous vous sentez pleine de consolation, nous vous en supplions, présentez à Dieu nos pleurs et priez pour nous votre Fils. Nous sommes très affligés dans le monde, nous sommes couverts d'injures, nous avons faim et soif, nous avons besoin de sommeil, nous sommes enfermés dans des prisons; mais vous avez été faite supérieure à tous les anges et vous suivez l'Agneau où il va. Vous délivrez les cœurs des vierges des nuisibles tentations de la chair et les invitez aux lys blancs, aux roses vermeilles et aux sources intarissables. Vous qui avez acquis la première place dans cette région bienheureuse des Bienheureux, vous portez vos pas à travers l'agrément du paradis, entourée de violettes qui ne flétriront jamais. Vous qui êtes accompagnée des chœurs harmonieux des anges et des archanges, vous criez inlassablement: saint, saint, saint. Vous habitez la chambre du Roi des béatitudes, parée de joyaux et de perles. Pour vous, parmi tous les anges, la chambre et le lit royal ont été préparés. C'est vous que le Roi des rois embrasse, vous reconnaissant comme mère et vous aimant au-dessus de toute autre créature. Et pourquoi s'émerveiller de cela car, du temps qu'il était enfant comme le reste des hommes, vous aussi, vous l'avez embrassé plusieurs fois.

Puisque vous êtes donc en état de bonheur, nous vous prions de regarder nos misères. Montrez-vous présente aux vœux de ceux qui vous implorent et exaucez-les tous, à la mesure de votre grand amour. N'oubliez jamais de prier pour votre peuple; car, bénie par Dieu entre toutes les femmes, vous avez eu le mérite de porter le Rédempteur dans ce monde, lui qui vit et règne pour tous dans les siècles et les siècles.

Ainsi soit-il.

Prière pour obtenir une faveur par l'intercession du frère André

Ô Dieu, toi qui es admirable dans tes saints, nous te demandons de nous accorder par l'intercession du frère André, l'apôtre de saint Joseph, la faveur que nous sollicitons afin qu'il soit glorifié dans l'Église et que nous soyons portés à imiter ses vertus. Par le Christ, notre Seigneur.

Amen.

Oraison de saint Bernard

Souvenez-vous, Très Sainte Vierge Marie, qu'on n'a jamais entendu dire qu'aucun de ceux qui ont eu recours à vous ait été abandonné.

Animé d'une telle confiance, j'ai recours à vous, ô Vierge des vierges, ma mère, je viens à vous et, les larmes aux yeux, tout pécheur que je suis, je me prosterne à vos pieds en vous demandant pitié. Mère du Verbe, ne méprisez pas mes supplications, mais écoutez-les favorablement et exaucez-moi.

Ainsi soit-il.

Prière à saint Joseph pour le succès d'une entreprise temporelle

Grand saint Joseph, qui êtes tout-puissant sur les Cœurs de Jésus et de Marie, vous que personne n'a jamais invoqué en vain, je me prosterne à vos pieds et vous demande, avec la plus ferme et la plus vive confiance... (spécifier ici la faveur désirée).

Mais si l'objet de mes désirs pouvait être contraire à la gloire de Dieu et à mon propre salut, obtenez-moi la grâce de me résigner avec amour à la volonté de Celui qui a pour nous un cœur de père, et qui, dans les afflictions qu'il m'envoie comme dans les grâces temporelles qu'il m'accorde, ne veut que mon plus grand avantage et mon bonheur éternel.

Ainsi soit-il.

Prière pour les voyageurs

Ô Dieu, qui, ayant fait sortir de sa patrie Abraham votre serviteur, l'avez préservé de tous dangers dans le cours de ses voyages; ô vous, Seigneur, qui avez fait accompagner le jeune Tobie et par votre saint ange lorsqu'il dut s'éloigner de la maison paternelle, daignez aussi veiller sur les voyageurs dont nous regrettons l'absence. Dirigez leurs pas; protégez-les en tous lieux; que votre main puissante et miséricordieuse écarte de leur route les tentations et les dangers; que vos saints anges les portent entre leurs bras, de peur qu'ils ne se heurtent contre quelque pierre. Ô mon Dieu, que votre douce Providence s'étende à tous les événements de leur voyage et à leurs besoins de chaque jour. Qu'elle leur soit une consolation dans la solitude, un ami dans le long chemin, un ombrage dans la chaleur, un couvert dans le froid et la pluie, un repos dans la fatigue, un asile dans le danger, un bâton dans les passages difficiles, un port dans le naufrage, afin que, conduits par vous jusqu'à la fin, ils arrivent heureusement au terme de leur voyage, et reviennent en santé dans leur maison. Qu'ils y retrouvent alors, Seigneur, tous ceux qu'ils y ont laissés et qu'ils aiment! Que pas un regret ne vienne troubler la pure joie de leur retour!

Ainsi soit-il.

Bréviaire romain

Prière à sainte Thérèse de Lisieux

Ô sainte Thérèse de l'Enfant-Jésus, qui, dans votre courte existence, avez été un miroir d'angélique pureté, d'amour fort et de si généreux abandon à Dieu, maintenant que vous jouissez du prix de vos vertus, jetez un regard de compassion sur moi qui me confie pleinement en vous. Faites vôtres mes intentions, dites pour moi une parole à cette Vierge Immaculée dont vous fûtes «la fleur» privilégiée, à la Reine du Ciel «qui vous sourit au matin de la vie». Suppliez-la, elle, si puissante sur le Cœur de Jésus, de m'obtenir la grâce que je désire tant à cette heure, et de l'accompagner d'une bénédiction qui me fortifie durant ma vie, me défende au moment de la mort et me conduise à la bienheureuse éternité.

Ainsi soit-il.

Guéris-moi

Guéris-moi, Christ Jésus,
toi qui as tant guéri de malades autrefois
et qui as le pouvoir de guérir de tout mal.
Je viens, malade, à toi, pour me faire guérir.

Guéris-moi, toi qui m'aimes
et qui es le premier à désirer pour moi
le bien-être du corps, comme celui de l'âme,
à prendre en sympathie le malade qui souffre.

Guéris-moi dans mon corps,
en me restituant une bonne santé
et en me permettant de mener une vie
où puissent fructifier mes talents et ressources.

Guéris-moi dans mon âme,
purifie mes désirs, mes pensées, mon vouloir;
libère-moi du joug d'un tenace égoïsme,
de l'obsession du moi, pour m'ouvrir à l'amour.

Guéris tout l'être en moi,
pardonne mes péchés et efface leurs traces;
panse toutes mes plaies, remplis-moi d'une vie
où puissent s'épanouir mon cœur et ma personne.

J. Galot

Sourate 113

Dis: «Je cherche protection auprès du Seigneur de l'aube naissante,
contre le mal des êtres qu'il a créés,
contre le mal de l'obscurité quand elle s'approfondit,
contre le mal de celles qui soufflent (les sorcières) sur les nœuds,
et contre le mal de l'envieux quand il envie.»

Texte coranique

Invocation de sorcier

Oh! toi qui commandes à la force, toi l'esprit de l'énergie virile,
Tu peux tout et sans toi, je ne puis rien, je ne puis rien,
Moi qui te suis consacré, moi qui te suis voué, ô Esprit,
De toi je tiens ma force, ma puissance. Tu m'as donné le don,
Esprit de la force, c'est toi que j'appelle. Sois propice à mon chant.
Tu dois obéir, je t'ai donné ce que tu demandais, ô Esprit,
Le sacrifice fut offert, sacrifice offert dans la forêt,
Esprit, je suis à toi, tu es à moi, viens.

Prière fang,
du Gabon

Au soleil

Ô grand pouvoir du Soleil! Je suis en prière pour mon peuple afin qu'il soit heureux l'été et qu'il demeure vivant dans les rigueurs de l'hiver. Nombreux sont ceux qu'affligent les maladies et la misère. Aie pitié d'eux et accorde-leur de survivre. Qu'ils connaissent une longue vie et l'abondance.

Qu'il nous soit permis de nous mêler à ces cérémonies selon le juste rite que tu as enseigné à nos ancêtres dans les temps écoulés. Si nous commettons des erreurs, aie pitié de nous! Aide-nous, ô Terre Mère, car nous comptons sur ta bonté.

Fais descendre l'eau de la pluie sur nos prairies et dispense-nous une abondance de baies sauvages.

Ô Étoile du Matin, lorsque tu tournes vers nous ton regard, envoie-nous le pain et le sommeil réparateur!

Grand esprit, bénis nos enfants, nos amis et nos hôtes, en nous donnant une vie heureuse.

Que nos pistes s'étendent droites et plates devant nous. Et accorde-nous de vivre jusqu'à notre vieillesse. Nous sommes tous tes enfants et nous te demandons cela d'un cœur pur.

Hymne solaire des Indiens des Grandes Plaines,
aux États-Unis

Prière à la nouvelle lune

Ô céleste générateur!
Te voilà qui te lève
Comme un regard de colère
Moi, je te supplie: garde-moi sain au cours de ce mois,
accorde-moi beaucoup de biens, que ne périssent
ni ma maison ni tout ce qu'elle contient.

Prière des Bakwiri
(peuple d'Afrique noire)

L'AMOUR ET LE SUCCÈS

Agissons comme si nous pouvions tout, et abandonnons-nous à la divine Providence comme si nous ne pouvions rien.

Saint Ignace de Loyola

Pour obtenir de saint Joseph la grâce de faire un bon mariage

Grand saint Joseph, puisque les bons mariages se font au ciel, je vous conjure bien humblement par le bonheur incomparable que vous reçûtes lorsque vous fûtes fait le vrai et légitime époux de la Sainte Vierge Marie, mère de Dieu, de m'aider à trouver quelque part favorable à ma condition, un mari (ou une compagne) fidèle, avec lequel (laquelle) je puisse aimer et bien servir mon Dieu en bonne union et concorde, et attirer par ce moyen les célestes bénédictions sur notre famille.

Ainsi soit-il.

Prières pour le mariage

Ce qui t'est cher puisse fleurir ici pour toi, grâce à ta descendance; veille sur cette maison en maîtresse de la maison, unis ton corps avec l'époux que voici! Quand tu seras âgée, tu prononceras l'hommage.

* * *

Restez ici, ne vous séparez pas, atteignez la pleine durée de votre vie, jouant avec vos fils, vos petits-fils, vous complaisant en votre belle demeure!

* * *

Que les chemins soient droits et sans épines par où nos amis vont à nos noces! qu'avec Bhaga et Aryaman, avec l'éclat nous unisse le dieu qui fonde!

* * *

L'éclat qui est situé dans les dés, celui qui est dans le vin, celui qui est dans les vaches, ô Açvin, conférez-le à la femme que voici!

* * *

Que le dieu Savitar te saisisse la main, que le roi Soma te fasse riche d'enfants, qu'Agni connaisseur des êtres rende l'épouse heureuse, accédant à la vieillesse, pour son époux!

* * *

Tvasta a disposé sa robe, pour qu'elle soit belle, sur l'instruction de Brhaspati et des Poètes. Que Savitar et Bhaga revêtent cette femme d'une descendance, comme ils ont fait pour la Fille du soleil!

* * *

Hommes, écoutez la prière par laquelle les deux époux accéderont au bonheur! Les Gandharva, les Apsaras divines qui siègent sur les arbres de ta forêt, qu'ils soient gracieux à la fiancée que voici, ne portent pas dommage au char nuptial qui s'avance!

* * *

Les maux qui circulent parmi les hommes autour du char brillant, que les dieux favorables les reconduisent d'où ils sont venus!

* * *

Porte d'heureux présages, étends ta garde sur la maison, sois favorable à l'époux, bienfaisante au beau-père, douce à la belle-mère, entre ainsi dans cette maison!

* * *

Sois propice aux beaux-parents, propice à l'époux, à la maison, propice à tout notre clan, sois propice aussi à leurs biens!

* * *

Vous éveillant d'une couche agréable, grandement réjouis dans la joie et les rires, puissiez-vous avec vos vaches, vos fils, votre maison traverser vivants les aurores brillantes!

* * *

Je suis lui, tu es elle, je suis le chant, tu es la strophe, je suis le ciel, tu es la terre; unissons-nous ici, engendrons une descendance!

Prières indiennes prononcées
au cours des rites du mariage

Préceptes de vie

L'amour est un don de Dieu, avant d'être étincelle et désir dans le cœur de l'homme. Il rassemble ce qui a été séparé: la joie et la douleur, le souvenir et l'oubli, la naissance et la mort. Il est le grand libérateur.

* * *

La possession empêche la paix de l'âme. C'est un réflexe destructeur qui engendre la souffrance.

* * *

Il y a un mystère de l'amour. Ceux qui s'aiment éprouvent dans leur cœur la force d'attraction des astres, la brûlure des soleils, le commencement et la fin des mondes. Ils meurent et ils renaissent dans un même corps.

* * *

Il n'y a pas d'amour sans renoncement, sans ouverture du cœur. N'attends pas l'amour. Va à sa rencontre.

* * *

La confiance et le respect mutuels sont les piliers de l'amour. Ils transcendent les rivalités et les égoïsmes. Pour aimer, renonce à tes protections, abandonne tes retranchements, et livre-toi dans la nudité du cœur.

Dugpa Rimpoché,
disciple du dalaï-lama

L'amour dans les relations humaines

(extrait)

Comme il est facile de détruire ce que nous aimons! Une barrière a si vite fait de s'élever entre nous, un mot, un geste, un sourire! La santé, l'humeur et le désir jettent une ombre, et ce qui était beau devient terne et pesant. Nous finissons par nous user à la longue, et ce qui était simple et pur devient confus et ennuyeux. Sous l'effet des perpétuelles frictions et des espoirs sans cesse déçus, ce qui était beau et simple devient effrayant et douloureux. Vivre avec nos semblables est chose difficile et complexe, et bien peu y réussissent sans dommage. Nous voudrions que nos rapports avec nos semblables soient stables, durables, alors qu'ils sont essentiellement mouvants; nous devons comprendre ce mouvement, profondément et pleinement, comprendre qu'il ne peut pas se plier à des règles intérieures ou extérieures. La conformité, qui est la structure même de l'édifice social, ne perd son poids et son pouvoir que lorsqu'il y a amour. L'amour dans les rapports humains purifie l'individu, car il lui révèle le fonctionnement du moi. Sans cette révélation, les relations entre les individus ne signifient pas grand-chose.

Mais comme nous luttons contre cette révélation! Cette lutte prend des formes diverses: domination ou servilité, peur ou espoir, jalousie ou consentement, etc. Malheureusement, nous n'aimons pas, et, si nous éprouvons de l'amour, nous voulons qu'il agisse d'une manière déterminée, nous ne le laissons pas libre. Nous aimons avec l'esprit et non avec le cœur. L'esprit peut changer, l'amour est immuable. L'esprit peut se rendre invulnérable, mais l'amour ne le peut pas; l'esprit peut toujours se retirer, être exclusif, devenir personnel ou impersonnel. L'amour ne peut être comparé ou enfermé. Tout le mal vient de ce que nous *appelons* amour, et qui en réalité relève de l'esprit. Nous remplissons nos cœurs de choses de l'esprit, et nos cœurs sont ainsi toujours vides et affamés. C'est l'esprit qui s'attache, qui jalouse, qui possède et détruit. Notre vie est dominée par les centres physiques et par l'esprit. C'est le désir d'être aimé qui nous pousse à rechercher l'amour; nous donnons pour recevoir, c'est là la générosité de l'esprit, non du cœur. L'esprit recherche sans cesse la certitude et la sécurité; comment l'esprit pourrait-il avoir une certitude de l'amour? Comment l'esprit qui est enchaîné au temps, pourrait-il saisir l'amour, qui est sa propre éternité?

Mais même l'amour du cœur a ses propres pièges; car nous avons tellement corrompu notre cœur qu'il est plein d'hésitations et de confusion. C'est cela qui rend la vie si pénible et si ennuyeuse. À peine croyons-nous avoir l'amour qu'il est déjà perdu. C'est qu'aussitôt intervient une force impondérable, qui ne vient pas de l'esprit, et dont l'origine est insaisissable. Cette force est à son tour détruite par l'esprit; car dans cette bataille l'esprit semble invariablement sortir vainqueur. Ce conflit qui se déroule en nous ne peut être résolu ni par l'esprit calculateur ni par le cœur hésitant. Il n'y a aucun moyen pour faire cesser ce conflit. Le fait même de chercher un moyen de résoudre ce conflit est encore une ruse de l'esprit pour être le maître, pour écarter le conflit afin de connaître la paix, pour avoir l'amour, pour devenir quelque chose.

Le plus difficile est de réaliser pleinement que l'esprit ne doit pas rechercher l'amour. Lorsque nous avons réellement et profondément compris cela, alors il est possible de recevoir quelque chose qui n'est pas de ce monde. Sans la présence de ce quelque chose, nous aurons beau faire, nous ne connaîtrons jamais de bonheur durable dans les relations humaines. Si vous avez reçu cette grâce et si moi je ne l'ai pas reçue, naturellement nous serons, vous et moi, en conflit. Vous ne serez peut-être pas en conflit, mais moi je le serai; et ma peine et mon chagrin me sépareront de vous. Le chagrin est aussi exclusif que le plaisir, et tant qu'il n'y a pas cet amour qui n'est pas mon œuvre, toute relation humaine est douloureuse. Au contraire, par la grâce de cet amour, vous ne pouvez pas ne pas m'aimer tel que je suis, car votre amour ne dépend pas de ce que je parais être ou de la façon dont je me conduis. Quoi que fasse l'esprit, nous sommes séparés, vous et moi; bien que nous puissions avoir certains contacts, l'intégration n'est pas en vous, mais en moi. Cette intégration ne peut en aucun cas être le fait de l'esprit; elle ne se produit que lorsque l'esprit est totalement silencieux, lorsqu'il est à bout de ressources. C'est alors seulement que les relations humaines ne sont plus douloureuses.

J. Krishnamurti (1895-1986),
philosophe indien, *Commentaires sur la vie*

Aimer

(extrait)

La passion libre est une radiation dépourvue de source, une chaleur fluide, diffuse, qui circule sans effort. Elle n'est pas destructrice parce qu'elle est une façon d'être équilibrée et hautement intelligente. La conscience de soi inhibe ce mode d'être intelligent et équilibré. En nous ouvrant, en abandonnant notre avidité consciente d'elle-même, nous ne voyons pas seulement la surface d'un objet, mais nous en avons également une vision profonde et totale. Nous ne nous arrêtons plus aux sensations et nous percevons les qualités globales qui sont de l'or pur. Loin de nous éblouir, la vision de l'extérieur nous branche sur l'intérieur. Aussi atteignons-nous le cœur de la situation et, s'il s'agit de la réunion de deux personnes, la relation est très inspirante parce que nous ne voyons pas l'autre purement en termes d'attraction physique ou selon les schémas habituels; nous voyons l'intérieur aussi bien que l'extérieur.

Une communication aussi pénétrante peut faire problème. Supposez que vous voyiez réellement quelqu'un qui, de son côté, ne veut pas être vu de la sorte, s'épouvante et se sauve en courant. Que faire alors? Vous avez communiqué complètement et parfaitement. Si la personne en question prend ses jambes à son cou, c'est sa façon de communiquer avec vous. Vous n'avez pas à chercher plus loin. Si vous la poursuiviez, tôt ou tard vous deviendriez un démon à ses yeux. Vous voyez à travers son corps, c'est de la chair grasse et juteuse, délicieuse à manger; vous lui paraissez être un vampire. Et plus vous tentez de poursuivre, plus vous chutez. [...] À coup sûr, quelque chose fait défaut dans une telle approche – le sens de l'humour. Si vous essayez de pousser les choses trop loin, cela signifie que vous ne percevez pas correctement le terrain; vous ne sentez que votre relation à la situation. Ce qui cloche, c'est que vous ne voyez pas toutes les faces de la situation et que, dès lors, son aspect ironique et humoristique vous échappe.

Parfois, les gens vous fuient parce qu'ils veulent jouer avec vous. Ils ne recherchent pas un engagement conformiste, honnête et sérieux, ils veulent jouer. Mais s'ils sont pourvus d'humour et vous pas, vous devez démoniaque. C'est là qu'apparaît *lalita*, la danse. Vous dansez avec la réalité, avec les phénomènes apparents. Lorsque vous désirez très fort un objet ou une personne, vous ne projetez pas immédiatement vos yeux et vos mains – simplement, vous admirez. Au lieu de vous mouvoir impulsivement, vous permettez à l'autre de se mouvoir de son côté, ce qui est apprendre à danser avec la situation; vous n'avez pas à créer la situation de toutes pièces; simplement, vous l'observez, vous travaillez et apprenez à danser avec elle. Alors, ce n'est pas votre création qui naît, mais plutôt une danse mutuelle. Personne n'est conscient de soi parce qu'il s'agit d'une expérience réciproque.

Lorsqu'il existe une ouverture fondamentale dans une relation, la fidélité, au sens de la confiance réelle, surgit automatiquement; c'est une situation naturelle. Parce que la communication est tellement réelle, belle et coulante, vous ne pouvez communiquer de la même façon avec personne d'autre, et vous êtes automatiquement attirés l'un vers l'autre.

Chögyam Trungpa Rimpoché (1940-1987)

L'amour ne donne que de lui-même et ne prend que de lui-même.
L'amour ne possède pas, et ne veut pas être possédé;
Car l'amour suffit à l'amour.

Quand vous aimez, vous ne devez pas dire «Dieu est dans mon cœur», mais plutôt «je suis dans le cœur de Dieu».
Et ne pensez pas que vous pouvez guider le cours de l'amour, car l'amour, s'il vous trouve dignes, dirigera votre cours.

L'amour n'a point d'autre désir que de s'accomplir.
Mais si vous aimez et devez avoir des désirs, qu'ils soient ceux-ci:
Se fondre et être un ruisseau coulant qui chante sa mélodie à la nuit.
Connaître la douleur de trop de tendresse.
Être blessé par sa propre intelligence de l'amour;
Et saigner toujours volontiers et joyeusement.
Se réveiller à l'aurore avec un cœur ailé et rendre grâce pour une autre journée d'amour;
Se reposer à l'heure du midi et méditer sur l'extase de l'amour;
Rentrer en sa demeure au crépuscule avec gratitude,
Et alors dormir avec en son cœur une prière pour le bien-aimé,
et sur les lèvres un chant de louange.
Alors, Almitra parla de nouveau et dit:
Et le Mariage, Maître?

Et il répondit, disant:
Vous êtes nés ensemble et ensemble vous resterez pour toujours.
Vous resterez ensemble quand les blanches ailes de la mort disperseront vos jours.
Oui, vous serez ensemble jusque dans la silencieuse mémoire de Dieu.
Mais qu'il y ait des espaces dans votre communion,
Et que les vents du ciel dansent entre vous.

Aimez-vous l'un l'autre, mais ne faites pas de l'amour une entrave:
Qu'il soit plutôt une mer mouvante entre les rivages de vos âmes.
Emplissez chacun la coupe de l'autre, mais ne buvez pas à une seule coupe.
Partagez votre pain, mais ne mangez pas de la même miche.
Chantez et dansez ensemble et soyez joyeux, mais demeurez chacun seul,
De même que les cordes d'un luth sont seules cependant qu'elles vibrent de la même harmonie.

Donnez vos cœurs, mais non pas à la garde l'un de l'autre.
Car seule la main de la Vie peut contenir vos cœurs.
Et tenez-vous ensemble, mais pas trop proches non plus:
Car les piliers du temple s'érigent à distance,
Et le chêne et le cyprès ne croissent pas dans l'ombre l'un de l'autre.

Khalil Gibran (1883-1931), poète libanais,
Le prophète

À quoi je songe? Hélas!... loin du toit où vous êtes,
Enfants, je songe à vous! à vous, mes jeunes têtes,
Espoir de mon été déjà penchant et mûr,
Rameaux dont, tous les ans, l'ombre croît sur mon mur!
Douces âmes à peine au jour épanouies,
Des rayons de notre aube encor tout éblouies!
Je songe aux deux petits qui pleurent en riant,
Et qui font gazouiller sur le seuil verdoyant,
Comme deux jeunes fleurs qui se heurtent entre elles,
Leurs jeux charmants mêlés de charmantes querelles!
Et puis, père inquiet, je rêve aux deux aînés
Qui s'avancent déjà de plus de flots baignés,
Laissant pencher parfois leur tête encor naïve,
L'un déjà curieux, l'autre déjà pensive!

Seul et triste au milieu des chants des matelots,
Le soir, sous la falaise, à cette heure où les flots,
S'ouvrant et se fermant comme autant de narines,
Mêlent au vent des cieux mille haleines marines,
Où l'on entend dans l'air d'ineffables échos
Qui viennent de la terre ou qui viennent des eaux,
Ainsi je songe! – à vous, enfants, maison, famille,
À la table qui rit, au foyer qui pétille,
À tous les soins pieux que répandent sur vous
Votre mère si tendre et votre aïeul si doux!

Et tandis qu'à mes pieds s'étend, couvert de voiles,
Le limpide océan, ce miroir des étoiles,
Tandis que les nochers laissent errer leurs yeux
De l'infini des mers à l'infini des cieux,
Moi, rêvant à vous seuls, je contemple et je sonde
L'amour que j'ai pour vous dans mon âme profonde,
Amour doux et puissant qui toujours m'est resté,
Et cette grande mer est petite à côté.

Victor Hugo (1802-1885),
Les Voix intérieures, XV, 15 juillet 1837

Qui est assez présent à soi, pour faire présent de soi?

Certes, l'amour existe. Mais il est rare. Aussi rare que la sainteté ou le génie. Ne galvaudons pas son nom.

Qui peut dire: je te fais présent de moi? Qui est assez présent à soi, pour faire présent de soi?

Et enfin, il n'y a qu'un pur amour: vouloir le bonheur d'un être, alors qu'on ne s'attache plus à rien. N'avoir ni peur de vivre ni peur de mourir, ne souffrir d'aucun manque, se suffire à soi-même. Et s'adjoindre quelqu'un dans l'existence en désirant son bien. Il n'y a qu'un amour serein quand plus rien ni personne ne saurait entamer ma sérénité. Quand la parfaite indifférence a été atteinte, alors je peux élire un être et y prêter une bienveillante attention. Une bienveillante attention: voilà l'amour. La littérature dit que «l'amour» se forme hors de notre volonté. Cela est vrai dans l'inexistence. Mais l'existence commence avec le non-attachement. Et celui qui a compris cela a compris qu'il n'y a pas d'amour sans volonté de l'amour. Tout le reste justement est littérature.

Parce que nous abusons du mot Amour, nous investissons dans le mariage de faux sentiments. Nos aïeux étaient plus raisonnables. Ils fondaient une cellule sociale et perpétuaient leur lignée. Ils mettaient plus de sacré dans cette affaire que dans le désir et la passion. Et parce que nous abusons du sexe, nous voulons que dans le mariage soit toute la vie des sens, dont le propre est d'être infinie et multiforme. C'est vouloir que l'océan tienne tout entier dans l'anneau nuptial.

Il y a quelque chose de sacré dans le mariage. Ce n'est pas le serment de fidélité, ce mensonge, cette inhumanité. C'est la résolution d'un homme et d'une femme à vieillir ensemble. À descendre ensemble la route de l'usure et des décrépitudes. À s'épauler tendrement jusqu'au tombeau. Tout couple est une impossibilité. Mais cette noble décision transcende les orages, les incompréhensions, les tromperies, les lassitudes. La ferme résolution de vieillir ensemble: alors, les pauvres choses mouvantes de la vie à deux prennent un sens hiératique. Et, finalement, tenir cette promesse qui passe l'amour, voilà qui ressemble à l'amour, voilà qui est peut-être la plus belle forme de l'amour...

Louis Pauwels (1920-1997),
philosophe français

Prière du matin

Dès le matin, ma prière te cherche.
Psaume 88,14

Seigneur,
une autre journée commence.
Je veux d'abord te dire merci
pour la bonne nuit que j'ai passée.
Je me sens reposé
et prêt à entreprendre mon travail.

Je te présente toutes les personnes
que je vais rencontrer aujourd'hui...
Aide-moi à être pour elles
un signe de ton amour:
que je sois accueillant,
écoutant, aidant.
Que je te reconnaisse en elles;
qu'elles m'apportent ta paix, ta joie.
Que nous grandissions un peu plus
les uns et les autres aujourd'hui.

Je te présente également
tous mes travaux, tous mes projets
pour aujourd'hui.
Que je les accomplisse
dans la simplicité et la vérité.
Et qu'ils contribuent
au bien-être de tous.
C'est ma petite part
à ton grand projet d'amour sur nous tous.

Seigneur,
reste avec nous
tout au long du jour.

Amen.

Jules Beaulac (1933-),
prêtre canadien

Prière pour ses clients

Seigneur, tu es venu sur la terre des hommes dans un esprit de service inspiré par l'amour. C'est dans ce même esprit, Seigneur, que je veux apporter à chacun de mes clients les services qu'ils me demandent.

Que ton Esprit-Saint me précède pour préparer leur cœur. Qu'il m'accompagne en chacune de mes démarches auprès d'eux!

Qu'il demeure avec eux après notre rencontre afin qu'ils découvrent que le service rendu l'a été par amour pour toi.

Préserve-moi, Seigneur, de toute fausse ambition. Garde-moi juste, honnête et droit dans chacune de mes transactions. Éloigne de mon cœur l'appât du gain qui me pousserait au mensonge et aux fausses promesses.

Bénis mes clients en leur personne et leurs biens. Au-delà des choses matérielles qu'ils me demandent, donne-moi la joie de leur apporter les biens spirituels dont ils ont besoin. Je veux te servir en eux animé du même amour dont tu m'aimas le premier. Par Jésus-Christ notre Seigneur.

Amen.

Règles de base pour réussir en affaires

Garde toujours la maîtrise de toi-même et demeure dans l'équilibre de la vérité. (Matt. 4,1-10)

Accepte d'être béni de Dieu. (Gen. 18,14; Matt. 19,26)

Sache que les promesses sont conditionnelles. (Isaïe 1,19)

Sois généreux envers les pauvres. (Prov. 19,17; Ps 15,3)

Paie toutes les dettes à l'échéance. (Prov. 3,27-28)

Donne ce que tu possèdes au seigneur. (Prov. 16,3)

Sois diligent. (Prov. 10,4)

Apprends à prier. (Prov. 15,8)

Sème abondamment. (Prov. 3,9-10)

Apprends à te maîtriser. (Prov. 25,28)

Ne perds pas de temps à te venger. (Prov. 20,22)

Évite les recettes faciles pour t'enrichir. (Prov. 27,20)

Parle en vainqueur. (Prov. 18,20-21)

Investis d'abord. (Prov. 24,27)

Diversifie. (Eccl. 11,2)

Prends le temps de te renseigner. (Prov. 18,13)

Adopte les quatre «C» de la sagesse:
Conseil, Conseiller, Counseling, Compagnons. (Prov. 11,14)

Parcours le mille de plus. (Matt. 5,41)

Sois assuré que tout travail porte fruit. (1 Cor. 9,7-12)

Choisis soigneusement tes associés. (Prov. 25,19)

Dis toujours la vérité. (Prov. 6,12-15)

Hais le mal, aime le bien. (Prov. 8,13)

Bois l'eau de ton propre puits. (Prov. 5,15-23)

Protège ta réputation. (Prov. 22,1)

Sois soumis à toute autorité légitime. (Rom. 13,1-7)

N'utilise pas de compromis. (Prov. 25,26)

N'impose pas de limites à Dieu. (Jean 10,10)

Dresse-toi une carte de route. (Ps 139,24)

Vérifie tout à la lumière de la parole de Dieu. (2 Tim. 3,16)

Accepte les changements. (Matt. 2,13-22)

Sois patient et persévérant. (Ps 37,7)

Sache que les difficultés et les souffrances ne veulent pas dire que Dieu n'est pas agissant dans ta vie. (Jean 12,24)

LA FRATERNITÉ

La fraternité au service de Dieu

(extrait)

Que l'amour soit sincère. Fuyez le mal avec horreur,
attachez-vous au bien.
Que l'amour fraternel vous lie d'une mutuelle
affection; rivalisez d'estime réciproque.
D'un zèle sans nonchalance, d'un esprit fervent,
servez le Seigneur.
Soyez joyeux dans l'espérance, patients
dans la détresse, persévérants dans la prière.
Soyez solidaires des saints dans le besoin,
exercez l'hospitalité avec empressement.
Bénissez ceux qui vous persécutent;
bénissez et ne maudissez pas.
Réjouissez-vous avec ceux qui sont dans la joie,
pleurez avec ceux qui pleurent.
Soyez bien d'accord entre vous;
n'ayez pas le goût des grandeurs,
mais laissez-vous attirer par ce qui est humble.
Ne vous prenez pas pour des sages.

Romains 12

L'amitié

(extrait)

Quand le Christ disait à ses disciples: «Aimez-vous les uns les autres», ce n'était pas l'attachement qu'il leur prescrivait. Comme en fait il y avait entre eux des liens causés par les pensées communes, la vie en commun, l'habitude, il leur commandait de transformer ces liens en amitié pour ne pas les laisser tourner en attachements impurs ou en haine.

Le Christ ayant peu avant sa mort ajouté cette parole comme un commandement nouveau aux commandements de l'amour du prochain et de l'amour de Dieu, on peut penser que l'amitié pure, comme la charité du prochain, enferme quelque chose comme un sacrement. Le Christ a peut-être voulu indiquer cela concernant l'amitié chrétienne quand il a dit: «Quand deux ou trois d'entre vous seront réunis en mon nom, je serai parmi eux.» L'amitié pure est une image de l'amitié originelle et parfaite qui est celle de la Trinité et qui est l'essence même de Dieu. Il est impossible que deux êtres humains soient un, et cependant respectent scrupuleusement la distance qui les sépare, si Dieu n'est pas présent en chacun d'eux. Le point de rencontre des parallèles est à l'infini.

Simone Weil (1909-1943),
philosophe et écrivain français

Considérer Jésus-Christ en toutes les personnes et en nous-mêmes: Jésus-Christ comme père en son père, Jésus-Christ comme frère en ses frères, Jésus-Christ comme pauvre en les pauvres, Jésus-Christ comme riche en les riches, Jésus-Christ comme docteur et prêtre en les prêtres, Jésus-Christ comme souverain en les princes, etc. Car il est par sa gloire tout ce qu'il y a de grand, étant Dieu, et est par sa vie mortelle tout ce qu'il y a de chétif et d'abject. Pour cela, il a pris cette malheureuse condition, pour pouvoir être en toutes les personnes, et modèle de toutes conditions.

J'aime tous les hommes comme mes frères parce qu'ils sont tous rachetés. J'aime la pauvreté parce qu'il l'a aimée. J'aime les biens parce qu'ils donnent le moyen d'en assister les misérables. Je garde fidélité à tout le monde. Je ne rends point le mal à ceux qui m'en font; mais je leur souhaite une condition pareille à la mienne, où l'on ne reçoit pas de mal ni de bien de la part des hommes. J'essaye d'être juste, véritable, sincère et fidèle à tous les hommes; et j'ai une tendresse de cœur pour ceux à qui Dieu m'a uni plus étroitement; et sois que je sois seul, ou à la vue des hommes, j'ai en toutes mes actions la vue de Dieu qui les doit juger, et à qui je les ai toutes consacrées.

Voilà quels sont mes sentiments, et je bénis tous les jours de ma vie mon Rédempteur qui les a mis en moi, et qui, d'un homme plein de faiblesse, de misère, de concupiscence, d'orgueil et d'ambition, a fait un homme exempt de tous ces maux par la force de sa grâce, à laquelle toute la gloire en est due, n'ayant de moi que la misère et l'erreur.

Blaise Pascal (1623-1662),
penseur français, *Pensées*

Le chant d'Assise

Ô mes bien-aimés, soyez humbles.
Ô mes bien-aimés, soyez doux.
Ne vous inquiétez ni d'honneurs,
Ni de dignités ni de louanges.
Fuyez les vanités,
Toutes les vanités.
Et dites-vous que le savoir des anges
Ne suffit même pas pour comprendre
Ce qui est de Dieu seul est compris.

AIMEZ

Aimez et ne jugez pas.
Si vous voyez un homme pécher mortellement
Haïssez le péché mais ne jugez pas l'homme.
Ne le méprisez pas. Ne méprisez personne.
Car vous ne savez pas les jugements de Dieu
Et tel semble damné qui est sauvé, peut-être.
Et tel semble sauvé qui est déjà damné.
Vous ne savez pas qui sont ceux
À qui Dieu
Tendra la main.

Ô vous tous, gens de la terre,
Qui cheminez si douloureusement,
Ayez d'abord la Charité.
Aimez-vous les uns les autres.
Consolez-vous les uns les autres.
Soutenez-vous les uns les autres.

Fût-on brûlé d'amour à en mourir,
On n'aime pas encore assez.
On n'aime jamais assez.

L'amour est tout, qui est Dieu même.

Et que votre amour ne soit pas borné,
Car le Seigneur, mon Dieu, n'admet
Ni vos frontières ni vos murs.

Christ a dit: Tu ne tueras point.
Souvenez-vous-en.

Hommes de bonne volonté,
Je vous salue et vous bénis.

À Dieu, pour chacun d'entre vous, je demande
La grâce de Force pour renoncer au mal,
La grâce de Sérénité dans l'oblation.
La grâce de Joie dans l'épreuve,
Et que, par la vertu de la Croix acceptée,
Par la parole et par le sang de Jésus-Christ,
La terre enfin soit délivrée du mal.
Ainsi soit-il! Ainsi soit-il!

Léon Chancerel (1886-1965),
poète et chansonnier français, pèlerin d'Assise en 1924

Frères humains

Compagnons inconnus, vieux frères, nous arriverons ensemble, un jour, aux portes du royaume de Dieu. Troupe fourbue, troupe harassée, blanche de la poussière de nos routes, chers visages durs dont je n'ai pas su essuyer la sueur, regards qui ont vu le bien et le mal, rempli leur tâche, assumé la vie et la mort, ô regards qui ne se sont jamais rendus! Ainsi vous retrouverai-je, vieux frères. Tels que mon enfance vous a rêvés. Car j'étais parti à votre rencontre, j'accourais vers vous. Au premier détour, j'aurais vu rougir les feux de vos éternels bivouacs; mon enfance n'appartenait qu'à vous. Peut-être, un certain jour, un jour que je sais, ai-je été digne de prendre la tête de votre troupe inflexible. Dieu veuille que je ne revoie jamais les chemins où j'ai perdu vos traces, à l'heure où l'adolescence étend ses ombres, où le suc de la mort, le long des veines, vient se mêler au sang du cœur.

Chemins du pays d'Artois, à l'extrême automne, fauves et odorants comme des bêtes, sentiers pourrissants sous la pluie de novembre, grandes chevauchées des nuages, rumeurs du ciel, eaux mortes... J'arrivais, je poussais la grille, j'approchais du feu mes bottes rougies par l'averse. L'aube venait bien avant que fussent rentrés dans le silence de l'âme, dans ses profonds repaires, les personnages fabuleux encore à peine formés, embryons sans membres, Mouchette, et Donissan, Cénabre, Chantal, et vous, vous seul de mes créatures dont j'ai cru parfois distinguer le visage, mais à qui je n'ai pas osé donner de nom – cher curé d'un Ambricourt imaginaire. Étiez-vous alors mes maîtres? Aujourd'hui même, l'êtes-vous? oh! je sais bien ce qu'a de vain ce retour vers le passé.

Certes, ma vie est déjà pleine de morts. Mais le plus mort est le petit garçon que je fus. Et pourtant, l'heure venue, c'est lui qui reprendra sa place à la tête de ma vie, rassemblera mes pauvres années jusqu'à la dernière, et comme un jeune chef ses vétérans, ralliant la troupe en désordre, entrera le premier dans la Maison du Père. Après tout, j'aurais le droit de parler en son nom. Mais justement, on ne parle pas au nom de l'enfance, il faudrait parler son langage. Et c'est ce langage oublié, ce langage que je cherche de livre en livre, imbécile! Comme si un tel langage pouvait s'écrire, s'était jamais écrit. N'importe! Il m'arrive parfois d'en retrouver quelque accent... et c'est cela qui vous fait prêter l'oreille, compagnons dispersés à travers le monde, qui par hasard ou par ennui avez ouvert un jour mes livres. Singulière idée que d'écrire pour ceux qui dédaignent l'écriture!

Amère ironie de prétendre persuader et convaincre alors que ma certitude profonde est que la part du monde encore susceptible de rachat n'appartient qu'aux enfants, aux héros et aux martyrs.

Georges Bernanos (1888-1948), écrivain français,
Les Grands Cimetières sous la lune

LA NATURE ET LA CRÉATION

Ce que je sais des sciences divines et de l'Écriture sainte, je l'ai appris dans les bois et les champs. Je n'ai eu d'autres maîtres que les hêtres et les chênes. Écoutez un homme d'expérience: vous apprendrez plus dans les bois que dans les livres. Les arbres et les pierres vous enseigneront plus que ce que vous ne pourrez jamais apprendre des lèvres d'un professeur.

Saint Bernard (923-1008)

Hymne à la création

La Terre me regarde; elle lève les yeux sur moi
Je baisse les yeux sur elle
Je suis heureux, elle me regarde
Je suis heureux, je la regarde.
Le Soleil me regarde; il baisse les yeux sur moi
Je lève les yeux sur lui
Je suis heureux, il me regarde
Je suis heureux, je le regarde.
Le Ciel noir me regarde; il baisse les yeux sur moi
Je lève les yeux sur lui
Je suis heureux, il me regarde
Je suis heureux, je le regarde.
La Lune me regarde; elle baisse les yeux sur moi
Je lève les yeux sur elle
Je suis heureux, elle me regarde
Je suis heureux, je la regarde.

Le Nord me regarde; il regarde au travers de moi
Je regarde au travers de lui
Je suis heureux, elle me regarde
Je suis heureux, je le regarde.

Texte chanté par les Navajos
(Indiens d'Amérique)

Prière

Très-Haut, Tout-Puissant, Bon Seigneur,
à toi sont les louanges, la gloire, l'honneur et toute bénédiction;
à toi seul, Très-Haut, ces hommages sont dus et nul homme n'est digne de te nommer.

Loué sois-tu, mon Seigneur, avec toutes tes créatures, spécialement messire le frère Soleil, qui fait le jour et par qui tu nous éclaires; il est beau et rayonnant avec grande splendeur; de toi, Très-Haut, il porte signification.

Loué sois-tu, mon Seigneur, pour sœur Lune et les étoiles; dans les cieux tu les as formées, claires, précieuses et belles.

Loué sois-tu, mon Seigneur, pour frère Vent, et pour l'air et le nuage et le serein et tous les temps, par lesquels à tes créatures tu donnes le soutien.

Loué sois-tu, mon Seigneur, pour sœur Eau, qui est utile, humble, précieuse et chaste.

Loué sois-tu, mon Seigneur, pour frère Feu, par qui tu éclaires la nuit. Il est beau et joyeux, robuste et fort.

Loué sois-tu, mon Seigneur, pour notre sœur Terre, qui nous porte et nous mène et qui produit les fruits divers avec les fleurs colorées et l'herbe.

Louez et bénissez mon Seigneur, remerciez-le et servez-le avec grande humilité.

Prière attribuée à saint François d'Assise

La création est l'œuvre de la parole divine

Mais comment avez-vous créé le ciel et la terre, et de quelle machine vous êtes-vous servi pour votre grandiose travail? Vous n'opériez pas comme l'artiste, lequel façonne un corps avec un autre corps, au gré de son esprit, qui a le pouvoir d'extérioriser la forme qu'il aperçoit en lui-même au moyen de l'œil intérieur. Ce pouvoir d'où viendrait-il à l'esprit, si vous n'aviez créé l'esprit? Et cette forme, il l'impose à une matière qui existe déjà, et propre à être transformée, comme la terre, la pierre, le bois, l'or ou toute autre substance. Mais d'où ces choses tireraient-elles l'être, si vous ne les aviez créées? C'est vous qui avez créé le corps et l'artiste, l'âme qui commande à ses membres, la matière dont il fait quelque chose, le génie qui conçoit et voit au-dedans de lui ce qu'il exécutera au dehors, les organes des sens, ces interprètes au moyen desquels il fait passer ses intentions de son âme dans la matière et informe l'esprit de ce qu'il a réalisé, afin que celui-ci consulte la vérité, ce juge intérieur, pour savoir si l'ouvrage est bon.

Tout cela vous loue comme le Créateur de toutes choses. Mais vous, comment les créez-vous? Comment avez-vous créé, mon Dieu, le ciel et la terre? Ce n'est assurément ni dans le ciel ni sur la terre que vous avez créé le ciel et la terre. Ce n'est pas non plus dans l'air ni sous les eaux qui dépendent du ciel et de la terre. Ce n'est pas dans l'univers que vous avez créé l'univers, puisqu'il n'y avait point d'espace où il pût être créé avant d'être créé pour être. Vous n'aviez pas en main la matière dont vous eussiez fait le ciel et la terre. D'où vous serait venu ce que vous n'aviez pas fait pour en faire quelque chose? Qu'est-ce qui existe sinon parce que vous êtes? Vous avez donc parlé et le monde fut, et c'est par votre parole que vous l'avez créé.

Saint Augustin (354-430),
Les confessions

Disproportion de l'homme

Que l'homme contemple donc la nature entière dans sa haute et pleine majesté; qu'il éloigne la vue des objets bas qui l'environnent. Qu'il regarde cette éclatante lumière, mise comme une lampe éternelle pour éclairer l'univers; que la terre lui paraisse comme un point au prix du vaste tour que cet astre décrit, et qu'il s'étonne de ce que ce vaste tour lui-même n'est qu'une pointe très délicate à l'égard de celui que ces astres, qui roulent dans le firmament, embrassent. Mais si notre vue s'arrête là, que l'imagination passe outre; elle se lassera plutôt que de concevoir, que la nature de fournir. Tout ce monde visible n'est qu'un trait imperceptible dans l'ample sein de la nature. Nulle idée n'en approche. Nous avons beau enfler nos conceptions au-delà des espaces imaginables, nous n'enfantons que des atomes, au prix de la réalité des choses. C'est une sphère infinie dont le centre est partout, la circonférence nulle part. Enfin, c'est le plus grand caractère sensible de la toute-puissance de Dieu, que notre imagination se perde dans cette pensée.

Que l'homme, étant revenu à soi, considère ce qu'il est au prix de ce qui est; qu'il se regarde comme égaré dans ce canton détourné de la nature; et que, de ce petit cachot où il se trouve logé, j'entends l'univers, il apprenne à estimer la terre, les royaumes, les villes, les maisons et soi-même son juste prix. Qu'est-ce qu'un homme dans l'infini?

Blaise Pascal (1623-1662),
penseur français,
Pensées

Je suis un Indien.
Je pense à des choses tout à fait communes comme
cette marmite.
L'eau qui bout provient du nuage de pluie.
Elle représente le ciel.
Le feu provient du soleil
qui nous réchauffe tous, les hommes, les animaux, les arbres.
La viande symbolise les quadrupèdes,
nos frères les animaux,
qui se sacrifient pour que nous puissions vivre.
La vapeur est le souffle vivant.
C'était de l'eau, qui maintenant monte au ciel
et redevient nuage.
Tout cela est sacré.
En regardant cette marmite pleine de bonne soupe
je pense à la façon toute simple
qu'a le Grand Esprit de prendre soin de moi.

John Lame Deer
(spiritualité des Sioux Lakotas, Indiens d'Amérique)

LA VIEILLESSE

Pour vieillir avec dignité

Seigneur, tu sais, je vieillis
et un jour je serai vieux.
Épargne-moi la mauvaise habitude
d'avoir toujours quelque chose
à dire «sur tout et sur rien».

Libère-moi du désir de résoudre
tous les problèmes des autres.
Rends-moi attentif et non maussade,
serviable et non autoritaire.

Ma sagesse est si grande que je suis tenté
de la déployer tout entière; mais, Seigneur,
tu sais que je désire garder de bons amis
jusqu'à la fin.

Garde mon esprit des détails interminables;
donne-moi des ailes
pour finir rapidement mon récit.

Ferme ma bouche sur mes malaises,
mes douleurs qui augmentent tandis que
le goût de les étaler grandit au cours des ans.

Je n'ose demander une mémoire rajeunie,
mais je sollicite un grain d'humilité
et le sourire devant mes trous de mémoire.

Enseigne-moi la vérité merveilleuse
que je puis parfois me tromper.
Fais que je reste modérément gentil,
car un vieillard grincheux est un fléau.

Donne-moi cette habileté qui voit de bonnes choses
dans les endroits inattendus
et des talents imprévus chez le voisin;
et surtout, Seigneur, que je ne manque pas
l'occasion de le lui dire.

Amen.

Prière d'un vieillard

Demeurez avec nous, Seigneur; car le jour baisse, et il se fait tard. Ô vous, la paix, le refuge et la consolation des cœurs troublés, demeurez avec nous, de peur que notre charité ne se refroidisse, et que notre lumière ne s'éteigne dans la nuit, car le jour baisse, et il se fait tard! Déjà se fait le soir de ma vie; déjà mon corps cède à la violence des douleurs; la mort m'environne, ma conscience se trouble, je frémis à la pensée de votre jugement; Seigneur, Seigneur, il se fait tard, le jour baisse: demeurez avec nous. Je remets mon esprit entre vos mains; en vous seul est mon salut, vers vous seul s'élèvent mes regards. Demeurez avec nous, et qu'à ma dernière heure, mon âme étant affranchie, par la ferveur, du joug des tribulations et du péché, la prière et l'amour lui préparent une douce hospitalité dans le sein de Dieu.

Ainsi soit-il.

Saint Bernard (923-1008)

Prière à son âme

Il est temps, ô mon âme, il est grand temps, si tu veux
te connaître toi-même, ton être ou ta destinée.
D'où tu viens, et où il faut te reposer.
Si la vie est ce que nous vivons, ou si nous attendons mieux.
Mets-toi au travail, ô mon âme, il faut purifier ta vie.
Cherche Dieu et ses mystères:
Ce qui fut avant le monde, ce que représente le monde
pour toi,
D'où il vient et quelle est sa destinée.
Mets-toi au travail, ô mon âme, il faut purifier ta vie.
Comment Dieu gouverne-t-il et mène-t-il l'univers?
Pourquoi le mouvement ici et là le repos?
Pour nous, nous sommes emportés par le courant de la vie.
Mets-toi au travail, ô mon âme, ne regarde plus que Dieu.
Ce qui fut mon orgueil, aujourd'hui est devenu ma honte.
Quel est mon lien avec la vie, quelle en est la fin?
Éclaire mon esprit, dissipe toute terreur.
Mets-toi au travail, ô mon âme, ne succombe pas à la peine.

Saint Grégoire de Nazianze (IVe siècle)

Sonnets

Souvent l'espoir qu'enfante le désir promet à mes jours passés quelques jours fortunés encore, mais plus la vie offre d'appâts, moins elle doit me sembler chère.

Pourquoi souhaiter en effet de plus longs jours et de nouveaux plaisirs, si toutes les joies de la terre nuisent d'autant plus à notre âme qu'elles sont plus durables ou plus vives ?

Aussi lorsque ta grâce viendra renouveler en moi cette foi, cet amour, ce zèle ardent qui rend vainqueur du monde et remplit l'âme d'assurance,

Lorsque tu me jugeras moins indigne de ta miséricorde, étends soudain sur moi ta main divine, ô Seigneur, pour me ravir dans le ciel; car les plus saintes résolutions ne durent point au cœur de l'homme.

Porté sur un fragile esquif au milieu d'une mer orageuse, J'arrive sur le soir de la vie, au port commun où tout homme vient rendre compte du bien et du mal qu'il a fait.

Je reconnais combien, dans son idolâtrie pour les arts, mon âme passionnée fut sujette à l'erreur; car il n'y a qu'erreur dans les affections terrestres de l'homme.

Pensées d'amour, si douces et si frivoles, que deviendrez-vous maintenant que je m'approche des deux morts, l'une certaine, et l'autre menaçante?

Ni la peinture ni la sculpture ne me charmeront plus désormais: mon âme s'est livrée tout entière à l'amour de ce Dieu qui ouvrit ses bras sur sa croix pour nous y recevoir.

Michel-Ange (1475-1564), peintre et poète italien

Prière d'Abraham

Ô Notre Seigneur
Tu connais parfaitement ce que nous cachons
et ce que nous manifestons
Rien n'est caché à Dieu dans le ciel et sur la terre.

Louange à Dieu
Dans ma vieillesse, il m'a donné Ismaël et Isaac
Mon Seigneur est celui qui entend la prière.

Mon Seigneur
Donne-moi de Te prier
moi et ma descendance.
Exauce ma prière, ô Seigneur.

Notre Seigneur
Accorde-nous ton pardon
Pardonne à moi-même, à mes parents et aux croyants
Le Jour du Jugement.

Sourate 14

LA SAGESSE

Comme le Bouddha, on doit être audacieux. Voyez à quel extrême renoncement il parvint! Pour réaliser Dieu, il abandonna sans un regard tout son royal confort. Quelle rigoureuse discipline il s'imposa! Quand, malgré tout cela, il ne put réaliser Dieu, il prit son bain dans la Nirajanâ sacrée, et il s'assit pour méditer pour la dernière fois avec cette résolution: «Que ce corps périsse, mais jusqu'à ce que j'aie atteint l'illumination, je ne bougerai pas d'ici.» Et l'illumination vint!

Swâmi Brahmânanda

Pour obtenir la sérénité

Apaise-moi Seigneur
Calme mon esprit et mon cœur
Ralentis mon empressement d'en finir de cette vie
Donne-moi la sérénité en ce jour sombre
Donne-moi la tranquillité des paysages majestueux.
Inspire-moi d'enraciner mes principes dans la profondeur
de cette belle terre, pour que je puisse grandir
jusqu'aux étoiles de ma plus grande destinée.

Seigneur, accorde-moi la sérénité
d'accepter les choses que je ne peux changer,
le courage de changer celles que je peux,
et la sagesse d'en comprendre la différence.

Donne ton souci à Dieu

Si l'homme est souvent malheureux intérieurement, s'il échoue dans sa vie, c'est qu'il veut la vivre à sa manière, suivant le mode humain et en comptant sur ses propres forces. Aussitôt qu'il démissionne entre les mains de Dieu, Dieu pour lui se met à l'œuvre: la réussite – pas forcément la réussite humaine – est inévitable et totale.

Le Seigneur est là, présent à toute la vie, mais discret, attendant que vous lui donniez un ennui, que vous lui confiiez une tâche. Pourquoi garder tant de travail pour vous? Pourquoi lutter en Lui demandant de vous aider? Pourquoi ne pas lui donner tout à porter, tout à faire et votre cœur et vos mains afin qu'Il s'en serve Lui-même?

Chaque soir, acceptez de mourir à toutes vos préoccupations, à tous vos soucis, légitimes ou non. Humblement, remettez tout entre les mains du Père pour vous réveiller au matin vide de toute inquiétude, neuf, pur face à la vie qui vous attend.

Si vous voulez être libre, si vous voulez être jeune, joyeux, en paix, fort et triomphant, chaque jour, chaque minute, confiez votre souci au Seigneur et Il s'en occupera Lui-même.

La plus grande force

L'amour est patient [...]
il ne se met pas en colère.
1 Corinthiens 13,4-5

Seigneur,
il fut un temps dans ma vie
où je réglais tout à coup de poing,
sur la table
ou dans la face des autres
quand ce n'était pas à coup de fusil
au plafond
et parfois dans les jambes des autres.
Je me croyais fort,
j'aimais à être craint de tout le monde.

Quand je me regarde aujourd'hui,
je vois tout le chemin
que tu t'es frayé jusqu'à mon cœur.
J'ai découvert
que la plus grande force, c'était précisément
de ne pas utiliser la force,
mais bien plutôt
de comprendre, de pardonner.
J'ai appris
qu'il vaut mieux
être aimé que craint.

De cela
et de tant d'autres choses,
je te dis:
merci beaucoup!

Amen.

Jules Beaulac (1933-),
prêtre canadien

De l'homme pacifique

1. Conservez-vous premièrement dans la paix: et alors vous pourrez la donner aux autres.

Le pacifique est plus utile que le savant.

Un homme passionné change le bien en mal, et croit le mal aisément. L'homme paisible et bon ramène tout au bien.

Celui qui est affermi dans la paix ne pense mal de personne; mais l'homme inquiet et mécontent est agité de divers soupçons: il n'a jamais de repos, et n'en laisse point aux autres.

Il dit souvent ce qu'il ne faudrait pas dire, et ne fait pas ce qu'il faudrait faire.

Attentif au devoir des autres, il néglige ses propres devoirs.

Ayez donc premièrement du zèle pour vous-même, et vous pourrez ensuite avec justice l'étendre sur le prochain.

2. Vous savez bien colorer et excuser vos fautes, et vous ne voulez pas recevoir les excuses des autres.

Il serait plus juste de vous accuser vous-même et d'excuser votre frère.

Si vous voulez qu'on vous supporte, supportez aussi les autres.

Voyez combien vous êtes loin encore de la vraie charité et de l'humilité, qui jamais ne s'irrite et ne s'indigne que contre elle-même.

Ce n'est pas une grande chose de bien vivre avec les hommes doux et bons, car cela plaît naturellement à tous; chacun aime le repos, et s'affectionne à ceux qui partagent ses sentiments.

Mais vivre en paix avec des hommes durs, pervers, sans règle, ou qui nous contrarient, c'est une grande grâce, une vertu courageuse et digne d'être louée.

3. Il y en a qui sont en paix avec eux-mêmes et avec les autres.

Et il y en a qui n'ont point la paix, et qui troublent celle d'autrui: ils sont à charge aux autres, et plus à charge à eux-mêmes.

Il y en a, enfin, qui se maintiennent dans la paix et qui s'efforcent de la rendre aux autres.

Au reste, toute notre paix, dans cette misérable vie, consiste plus dans une souffrance humble que dans l'exemption de la souffrance.

Qui sait le mieux souffrir possédera la plus grande paix. Celui-là est vainqueur de soi et maître du monde, ami de Jésus-Christ et héritier du ciel.

Thomas a Kempis (1380-1471),
moine allemand,
L'imitation de Jésus-Christ

Ce que Dieu demande à ses fidèles

(extrait)

Seigneur, qui sera reçu dans ta tente?
Qui demeurera sur ta montagne sainte?
L'homme à la conduite intègre,
qui pratique la justice
et dont les pensées sont honnêtes.
Il n'a pas laissé courir sa langue,
ni fait de tort aux autres,
ni outragé son prochain.
Qui agit ainsi reste inébranlable.

Psaume 15

Dieu vous a fait aimer la foi;
il l'a fait paraître belle à vos cœurs,
tandis qu'il vous a fait détester
l'incrédulité, la perversité et la désobéissance;
– tels sont ceux qui sont bien dirigés –
c'est une grâce de Dieu,
un bienfait de Dieu;
de celui qui sait tout, du Sage.
Si deux groupes de croyants se combattent,
rétablissez la paix entre eux.
Si l'un des deux se rebelle contre l'autre,
luttez contre celui qui se rebelle,
jusqu'à ce qu'il s'incline devant l'Ordre de Dieu.
S'il s'incline,
établissez entre eux la concorde avec justice.
Dieu aime ceux qui sont équitables!
Les croyants sont frères.
Établissez donc la paix entre vos frères.
Ô vous, les croyants!
Que certains d'entre vous ne se moquent pas des autres;
il se pourrait que ceux-ci fussent meilleurs
que ceux-là.
Ne vous calomniez pas les uns les autres;
ne vous lancez pas des sobriquets injurieux.
Le mot «pervers» est détestable entre croyants.

Ô vous, les croyants!
Évitez de trop conjecturer sur autrui:
certaines conjectures sont des péchés.
N'espionnez pas!
Ne dites pas de mal les uns des autres.
Un d'entre vous aimerait-il
manger la chair de son frère mort?
Non, vous en auriez horreur!
Craignez Dieu!
Dieu est celui qui revient sans cesse
vers le pécheur repentant;
il est miséricordieux.

Sourate 49

Hadiths du prophète de l'islam

Abou-Horaira rapporte que le Prophète a dit: « Gardez-vous des soupçons, car le soupçon est plus mensonger que le propos; n'espionnez pas; n'écoutez pas les médisances, ne semez pas la discorde, mais soyez des adorateurs de Dieu vivant en frères. Que l'un de vous ne demande pas la main de celle qu'a demandée son frère; qu'il attende que celui-ci épouse ou se désiste.»

T.3- P.571- C.46- N° 2

D'après 'Abdallah, le prophète a dit: «La vérité conduit à la piété filiale et la piété filiale mène au paradis. Que l'homme soit toujours sincère en sorte qu'il mérite le nom de très sincère. Le mensonge mène à l'ingratitude, et l'ingratitude conduit à l'enfer. Il y a des hommes qui mentent au point qu'ils sont inscrits auprès de Dieu sous le nom de menteurs de profession.»

T.4- P.173- C.69- N° 1

D'après Abou-Horaira, le Prophète a dit: «La richesse ne consiste pas dans l'abondance des biens; la richesse, c'est la richesse de l'âme.»

T.4- P.281- C.15- N° 1

Tâous raconte qu'il a entendu Ibn-Abbâs dire: «Lorsque le Prophète passait la nuit en prières, il disait: "Grand Dieu! à toi la louange, tu es la lumière des cieux et de la terre; à toi la louange, tu es celui qui dirige les cieux et la terre; à toi la louange, tu es le Maître des cieux et de la terre et de tout ce qu'ils contiennent; tu es la Vérité; tes promesses sont la Vérité; ton verbe est la Vérité; l'enfer est une Vérité; les prophètes sont une Vérité; l'Heure dernière est une Vérité. Grand Dieu! je m'abandonne à toi, je crois en toi, je m'appuie sur toi; c'est vers toi que je retournerai; c'est en toi que je discute et que je juge; pardonne-moi mes fautes passées, mes fautes futures, celles que j'ai commises en secret ainsi que celles que j'ai commises en public. Mon Dieu, il n'y a pas d'autre divinité que toi."»

T.4- P.622- C.35- N° 8

Celui qui est courtois n'est pas humilié;
celui qui est magnanime gagne la multitude;
celui qui est de bonne foi est honoré de la confiance du peuple;
celui qui est diligent atteint son but et celui qui est bon peut obtenir les services du peuple.
Méditer pour comprendre, étudier et enseigner sans me lasser, ne sont-ce pas mes mérites? [...]
Entre trois hommes qui marchent ensemble (moi étant l'un d'eux), je suis sûr de trouver mon maître: le bon pour l'imiter, le mauvais pour reconnaître en lui ce dont il faut me corriger.
La sainteté et la parfaite humanité, je n'ose y prétendre. Tout ce qui peut être dit de moi, c'est que je cultive la vertu sans relâche, que j'enseigne sans me décourager.
C'est seulement celui qui possède la complète sincérité qui développera complètement sa nature.
Développant complètement sa nature,
il développera celle des autres,
Développant la nature des êtres et des choses,
il coopère à l'œuvre de transformation et de vie du Ciel et de la Terre.

Entretiens de Confucius (ve siècle av. J.-C.)

Le sage

Le sage ne prétend pas au titre de sage
mais se tient volontairement dans l'obscurité.
Celui qui cherche l'érudition s'enrichit
chaque jour; celui qui cherche le Tao
s'appauvrit quotidiennement. Il devient
de plus en plus pauvre jusqu'à ce qu'il arrive
au non-agir; avec le non-agir,
il n'est rien qu'il ne puisse réaliser.

Lao-tseu (~570-~490),
philosophe chinois

Taö to king

XV

Les sages parfaits de l'Antiquité étaient si fins,
si subtils, si profonds et si universels
qu'on ne pouvait les connaître.
Ne pouvant les connaître, on s'efforce de se les représenter:
Ils étaient prudents comme celui qui passe un gué de l'hiver;
hésitants comme celui qui craint ses voisins;
réservés comme un invité;
mobiles comme la glace qui va fondre;
concentrés comme le bloc de bois brut;
étendus comme la vallée;
confus comme l'eau boueuse.
Qui sait par le repos passer peu à peu du trouble au clair
et par le mouvement du calme à l'activité?
Quiconque préserve en lui une telle expérience
ne désire pas être plein.
N'étant pas plein, il peut subir l'usage et se renouveler.

XVI

Atteins à la suprême vacuité
et maintiens-toi en quiétude,
Devant l'agitation fourmillante des êtres
ne contemple que leur retour.

Les êtres divers du monde
feront retour à leur racine.
Faire retour à la racine, c'est s'installer dans la quiétude;
S'installer dans la quiétude, c'est retrouver l'ordre;
Retrouver l'ordre, c'est connaître le constant;
Connaître le constant, c'est l'illumination.

Qui ne connaît le constant
crée aveuglément son malheur.
Qui connaît le constant sera tolérant.
Qui est tolérant sera désintéressé.
Qui est désintéressé sera royal.
Qui est royal sera céleste.
Qui est céleste fera un avec le Tao.
Qui fait un avec le Tao vivra longtemps.
Jusqu'à la fin de sa vie, rien ne saurait l'atteindre.

LVI

Celui qui sait ne parle pas,
celui qui parle ne sait pas.

Bloque ton ouverture,
ferme ta porte,
émousse ton tranchant,
dénoue tout écheveau,
fusionne toutes lumières,
unifie toutes poussières,
c'est là l'identité suprême.

Tu ne peux approcher du Tao
non plus que t'en éloigner;
lui porter bénéfice
non plus que préjudice;
lui conférer honneur
non plus que déshonneur.
C'est pourquoi il est en si haute estime dans le monde.

Lao-tseu (~570-~490),
philosophe chinois

Inscrit sur l'esprit croyant

(extrait)

La Parfaite Voie ne connaît nulle difficulté,
Sinon qu'elle se refuse à toute préférence.
Ce n'est qu'une fois libérée de la haine et de l'amour
Qu'elle se révèle pleinement et sans masque.
Une différence d'un dixième de pouce,
Et le ciel et la terre se trouvent séparés.

Si vous voulez voir la Parfaite Voie manifestée,
Ne concevez aucune pensée, ni pour elle ni contre elle.

Opposer ce que vous aimez à ce que vous n'aimez pas –
Voilà la maladie de l'esprit:
Lorsque le sens profond de la Voie n'est pas compris,
La paix de l'esprit est troublée et rien n'est gagné.

La voie est parfaite comme le vaste espace,
Rien n'y manque, rien n'y est superflu:
C'est parce que l'on fait un choix
Que sa vérité absolue se trouve perdue de vue.

Ne poursuivez pas les complications extérieures,
Ne vous attardez pas dans le vide intérieur;
Lorsque l'esprit reste serein dans l'unité des choses,
Le dualisme s'évanouit de lui-même.

Et quand l'unité des choses n'est pas comprise jusqu'au fond,
De deux façons la perte est supportée.
Le déni de la réalité peut conduire à son absolue négation,
Alors que le fait de soutenir le vide peut résulter en une contradiction avec soi-même.

Phraséologie, jeux de l'intellect,
Plus nous nous y abandonnons et plus loin nous nous égarons.
Éloignons-nous donc de la phraséologie et des jeux de l'intellect,
Et il n'est nulle place où nous ne puissions librement passer.

Lorsque nous remontons à la racine, nous obtenons le sens;
Lorsque nous poursuivons les objets extérieurs, nous perdons la raison.
Au moment où nous sommes illuminés en nous-mêmes,
Nous dépassons le vide du monde qui s'oppose à nous.

Les transformations qui se déroulent dans le monde vide qui se trouve devant nous
Semblent toutes réelles à cause de l'Ignorance:
N'essayez pas de chercher la vérité,
Cessez simplement de vous attacher à des opinions.

Ne vous attardez pas dans le dualisme,
Évitez avec soin de le poursuivre;
Aussitôt que vous avez le bien et le mal,
La confusion s'ensuit, et l'esprit est perdu.

[...]

L'attachement passionnel ne reste jamais dans de justes limites,
Il est sûr de se lancer dans la fausse voie:
Lâchez prise, laissez les choses comme elles peuvent être.
Leur essence ne part ni ne subsiste.

Obéissez à la nature des choses, et vous êtes en accord avec la voie,
Calme, détendu, exempt de tout ennui;
Mais quand vos pensées sont liées, vous vous détournez de la vérité,

Elles deviennent plus lourdes, plus sombres,
et cessent d'être saines.

[...]

L'ultime but des choses, là où elles ne peuvent pas aller
plus loin,
N'est pas limité par les règles et les mesures;
L'esprit en harmonie avec la Voie et le principe d'identité
Où nous trouvons toutes les actions dans un état de quiétude;
Les irrésolutions sont complètement chassées
Et la juste foi est restaurée dans sa droiture originelle;
Rien n'est retenu maintenant,
Il n'est plus rien dont on doive se souvenir,
Tout est vide, lucide, et porte en soi un principe d'illumina-
tion,
Il n'y a pas de tâche, pas d'effort, pas de gaspillage d'énergie.
Voici où la pensée ne parvient jamais,
Voici où l'imagination ne parvient pas à évoluer.

Dans le plus haut royaume de l'Essence vraie,
Il n'y a ni «autre» ni «soi».
Lorsqu'on réclame une identification directe,
Nous ne pouvons que dire «Pas deux».

En n'étant pas deux tout est le même,
Et tout ce qui est s'y trouve compris:
Dans les dix quartiers de la terre,
Tous les sages entrent dans cette foi absolue.

Cette foi absolue est au-delà de l'accélération (temps)
et de l'extension (espace).
Un instant y est dix mille années.
Peu importe comment les choses sont conditionnées,
que ce soit par «être» ou «ne pas être»,
Tout cela est manifeste partout devant vous.

Tao-hsin (580-651)

Chant VI

(discipline du recueillement)

(extrait)

Celui qui, sans s'attacher au fruit de l'acte, accomplit l'action lui incombant, c'est lui le renonçant, lui l'ascète unifié, non celui qui néglige le feu sacrificiel et délaisse l'action.

Ce que l'on nomme «renoncement», sache, fils de Pându, que c'est là notre méthode de concentration et de pratique, car nul n'est yogin qui n'a point renoncé aux projets intéressés.

Pour l'ascète qui cherche à escalader les degrés du yoga, l'action est, dit-on à juste titre, le facteur par excellence, mais pour celui qui a terminé l'escalade, la quiétude est, affirme-t-on, le facteur dominant.

Lorsqu'on n'adhère plus aux objets des sens ni des actes, c'est alors qu'ayant renoncé à tout «projet intéressé», on est dit avoir achevé l'escalade des degrés du yoga.

Qu'on s'élève soi-même par soi-même; qu'on ne se plonge pas soi-même dans l'abîme, car on est à soi-même son allié, à soi-même son ennemi.

Celui-là est à soi-même son propre allié qui a triomphé de lui-même par lui-même. Mais on se comporte envers soi-même comme un ennemi quand on est aliéné de soi-même, à la façon d'un ennemi.

Le Soi de celui qui s'est vaincu lui-même et a obtenu l'apaisement demeure concentré en parfait équilibre entre les contraires: froid et chaud, plaisir et douleur, et aussi honneur et déshonneur.

Car le Soi qui trouve sa satisfaction dans le savoir doctrinal et l'expérience libératrice, qui se tient inébranlablement à la cime, qui a triomphé de ses sens, adepte de la discipline unitive, on le dit «unifié», lui pour qui apparaissent égaux la glèbe, la pierre et l'or.

Celui dont le jugement est le même à l'égard d'êtres cordiaux, d'amis, d'ennemis, d'indifférents, de neutres, de gens haïssables, d'alliés, des bons et aussi des méchants, celui-là se distingue éminemment.

L'ascète doit se recueillir sans cesse, retiré à l'écart, solitaire, contrôlant son esprit, n'aspirant à rien, dépossédé de tout, après s'être ménagé sur un emplacement purifié un siège stable, ni trop élevé ni trop bas, recouvert d'une étoffe, d'une peau d'antilope ou d'herbe sacrée. Là, la pensée ramassée en une seule pointe, maîtrisant ses opérations mentales et sensorielles, installé sur son siège, qu'il s'unifie dans la discipline unitive dans le but de se purifier; maintenant, affermi, le corps, la tête et le cou au même aplomb et dans l'immobilité, le regard concentré sur la pointe de son nez, sans le laisser porter en différentes directions, l'âme apaisée, exempte d'angoisse, fidèle à l'observance de la chasteté, discipline unitive, qu'il se tienne dans cette posture tendu vers moi.

Se ramenant ainsi sans cesse à l'unité, l'adepte de la discipline unitive dont les facultés mentales sont maîtrisées accède à la paix où – but suprême – s'éteint toute misère, et qui réside en moi.

La Bhagavad-gita,
Le chant du bienheureux,
texte sacré hindou

Ô race née de la terre, que le Destin emporte
et que la Force contraint
Ô petits aventuriers dans un monde infini
Prisonniers d'une humanité de nains
Tournerez-vous sans fin dans la ronde du mental
Autour d'un petit moi et de médiocres riens?
Vous n'étiez point nés pour une petitesse irrévocable
Ni bâtis pour de vains recommencements...
Des pouvoirs tout-puissants sont enfermés dans les
cellules de la Nature
Une destinée plus grande vous attend...
La vie que vous menez cache la lumière que vous êtes!

Mirra Alfassa (1878-1973),
appelée Mère

Silence

Écouter le silence en soi. Sans effort. Sans essayer de comprendre. Fermer les yeux, les ouvrir, regarder, écouter, attendre. Ne rien désirer pour un instant. N'appeler personne. Ne pas regarder par la fenêtre. Entendre les bruits intérieurs se ranger, se dissiper, disparaître. Tout ce qu'on pense de moi, tout ce qu'on dit de moi, ce que je ferai demain, cela n'existe plus. Il n'existe que moi, ici, maintenant. Et les hommes tout près, chacun dans sa conscience. Et Dieu plus près encore, au fond de moi. J'écoute. Un silence immense s'installe en moi, calme, serein, éternel. La mer déferle sur moi en vagues successives.

Paul-Émile Roy (1928-),
écrivain québécois

LA MALADIE ET LA MORT

Prière efficace à Marie, Reine des Cœurs

Ô Marie, Reine des Cœurs, avocate des causes désespérées, Mère si pure, si compatissante, Mère du Divin Amour et pleine de lumière divine, je mets entre vos mains si tendres les faveurs que nous attendons de vous aujourd'hui. Regardez nos misères, nos cœurs, nos larmes, nos peines intérieures, nos souffrances: vous pouvez nous exaucer par les mérites de votre Divin Fils, Jésus-Christ.

Nous promettons, si nous sommes exaucés, de répandre votre gloire et de Vous faire connaître sous le titre de «Marie, Reine des Cœurs» et Reine de l'univers entier. Exaucez-nous près de votre autel, où tous les jours vous donnez tant de preuves de votre puissance et amour pour la guérison de l'âme et du corps.

Nous espérons contre toute espérance: demandez à Jésus notre guérison, notre pardon et notre persévérance finale.

Ô Marie, Reine des Cœurs, guérissez-nous. Nous avons confiance en vous.

Pendant la maladie

Ô Jésus, tu as souffert, tu es mort pour nous.
Tu comprends la souffrance.
Enseigne-moi à la comprendre comme Toi, à la supporter avec Toi,
à l'offrir avec Toi en expiation de mes péchés
et de ceux des autres.
Tranquillise ma peur, augmente ma confiance,
rends-moi heureux d'accepter ta sainte volonté.
Aide-moi à te ressembler dans cette épreuve.
Si c'est Ta volonté, redonne-moi la santé
pour que je puisse travailler à Ta gloire,
ton honneur et au salut de tous les hommes.

Amen.
Marie, secours des malades, prie pour moi.

Pour demander la grâce d'une bonne mort

Ô Dieu qui, en nous condamnant à la mort, nous en avez caché le moment et l'heure, faites que, passant tous les jours de ma vie dans la grâce de votre saint amour, je puisse mériter de mourir avec la paix d'une bonne conscience et parvenir au bonheur éternel; je vous en supplie par Jésus qui, après avoir triomphé de la mort et du péché, vit et règne dans les siècles des siècles. Ainsi soit-il.

Prière avant de s'endormir

Mon Dieu, je sais que je dois mourir un jour, et qu'après ma mort on déposera dans le tombeau mon corps recouvert d'un triste linceul. Je veux me le rappeler dans ce moment, qui me représente celui de ma sépulture. Peut-être, d'ailleurs, l'heure de ma mort n'est-elle pas éloignée! Peut-être le sommeil, image de la mort, sera-t-il continué par le sommeil de la mort, et cette nuit sera-t-elle pour moi la dernière! Dans cette incertitude, ô mon Dieu, oserais-je bien m'endormir tranquille si ma conscience ne l'était pas, ou si du moins mon repentir ne me permettait pas d'espérer en votre miséricorde!

Seigneur, vos jugements sont si redoutables, et je me trouve si peu préparé à paraître devant vous, que je vous conjure de me préserver d'une mort soudaine. Je remets mon âme entre vos mains paternelles, et je m'endors avec confiance sous votre protection. Mon Dieu, je vous offre mon repos, que Jésus-Christ a bien voulu sanctifier en s'y assujettissant lui-même, faites que je meure de la mort des justes, et que j'aie part au repos éternel.

Ainsi soit-il.

Heures du cardinal de Noailles

Pour demander une bonne mort

Prosterné devant le trône de votre adorable majesté, je viens vous demander, ô mon Dieu, la dernière de toutes les grâces: celle d'une bonne mort. Quelque mauvais usage que j'aie fait de la vie que vous m'aviez donnée, accordez-moi de bien la finir, et de mourir dans votre amour.

Pardonnez-moi, ô mon Dieu! tout le mal que j'ai fait, et ayez pour agréable le peu de bien que vous m'avez aidé à faire. Pardonnez-moi, car je me repens de mes fautes, et je les déteste par le seul motif de votre infinie bonté. Pardonnez-moi, car je pardonne de tout mon cœur à ceux qui ont pu m'offenser.

J'accepte la mort en esprit de pénitence, en union de celle de mon Sauveur, et par obéissance à vos adorables volontés.

Père saint, ayez pitié de moi, faites-moi miséricorde, je remets mon âme entre vos mains. Jésus, soyez-moi Jésus, maintenant et à l'heure de ma mort.

Sainte Marie, mère de miséricorde, montrez dans ce dernier moment de ma vie que vous me regardez comme un de vos enfants; intercédez pour moi.

Heureux saint Joseph, qui êtes mort entre les bras de Jésus et de Marie, obtenez-moi de mourir en prédestiné.

Ange du ciel, fidèle gardien de mon âme, grands saints, que Dieu m'a donnés pour protecteurs pendant ma vie, ne m'abandonnez pas à l'heure de ma mort.

Ainsi soit-il.

Au moment de mourir. Préparation à la mort

Voici donc, Seigneur, votre coupable qui vient porter la mort à laquelle vous l'avez condamné; enfant d'Adam, pécheur et mortel, je viens humblement subir l'exécution de votre juste sentence.

Tout s'en va autour de moi comme une fumée; mais je m'en vais où tout est. Dieu puissant, Dieu éternel, Dieu heureux, je me réjouis de votre puissance, de votre éternité, de votre bonheur. Quand vous verrai-je, ô principe qui n'avez point de principe? Quand verrai-je sortir de votre sein votre Fils qui vous est égal?... Tais-toi, mon âme, ne parle plus. Pourquoi bégayer encore quand la vérité te va parler?

Mon Sauveur, en écoutant vos saintes paroles, j'ai tant désiré de vous voir et de vous entendre vous-même; l'heure est venue; je vous verrai dans un moment; je vous verrai comme un juge, il est vrai; mais vous me serez un juge sauveur. Vous me jugerez selon vos miséricordes; parce que je mets en vous toute mon espérance et que je m'abandonne à vous sans réserve. Sainte cité de Jérusalem, mes nouveaux citoyens, mes nouveaux frères, ou plutôt mes anciens citoyens, mes anciens frères, je vous salue en foi. Bientôt, bientôt dans un moment, je serai en état de vous embrasser; recevez-moi dans votre unité.

Adieu, mes frères mortels! Adieu, sainte Église catholique! Vous m'avez porté dans vos entrailles, vous m'avez nourri de votre lait, achevez de me purifier par vos sacrifices, puisque je meurs dans votre unité et dans votre foi. Mais, ô Église, point d'adieu pour vous; je vais vous trouver dans le Ciel, dans la plus belle partie de vous-même. Ah! je vais voir votre source et votre terme, les prophètes et les apôtres vos fondements, les martyrs vos victimes, tous les intercesseurs. Église, je ferme les yeux; je vous trouverai dans le ciel.

Jacques Bénigne Bossuet (1627-1704),
théologien et écrivain français

Je meurs de ne pas mourir

Je vis, mais sans vivre en moi-même;
J'attends une vie si haute
Que je meurs de ne pas mourir.

Je vis déjà hors de moi
Puisque je me meurs d'amour;
Car je vis dans le Seigneur
Qui m'a voulue pour Lui.
Quand je lui donnai mon cœur,
Il mit en lui cette inscription:
Je me meurs de ne pas mourir.

Cette toute divine prison
De l'amour avec qui je vis
A fait de Dieu mon captif
Et rendu libre mon cœur.
Mais cela me fait tant pâtir
De voir Dieu mon prisonnier,
Que je meurs de ne pas mourir.

Las! Que longue est cette vie!
Et comme ils sont durs ces exils;
Cette prison, ces fers aussi,
Dans lesquels l'âme est enfermée.
L'espoir seulement d'en sortir
Me cause douleur si cruelle
Que je meurs de ne pas mourir.

Hélas! Que la vie est amère,
Quand elle n'y jouit pas du Seigneur!
Et si l'amour lui-même est doux
Point ne l'est la longue espérance;
Ôte-moi, mon Dieu, cette charge
Qui est plus lourde que l'acier,
Car je meurs de ne pas mourir.

Je vis mais par la seule confiance
Qu'un jour il me faudra mourir,
Parce qu'en mourant, c'est la vie
Que m'assure mon espérance.
Ô mort, où l'on gagne la vie,
Ne tarde pas, toi que j'espère,
Car je meurs de ne pas mourir.

Vois comme l'amour est fort.
Ô vie ne me sois pas à charge!
Vois, il ne me reste plus
Qu'à te perdre pour te gagner.
Que la douce mort vienne!
Qu'il vienne vite, ce trépas,
Car je meurs de ne pas mourir.

Cette autre vie qui est de là-haut,
Est bien la véritable.
Jusqu'à ce que cette vie d'en bas meure,
Étant vivante, point on n'en jouit.
Ô mort! Ne te dérobe pas.
Je vis en mourant plutôt,
Car je meurs de ne pas mourir.

Ô vie que puis-je donner
À mon Dieu qui vit en moi
Si ce n'est de te perdre, toi,
Pour mériter de te gagner
Je désire en mourant, t'atteindre;
Puisque j'aime tant mon aimé
Que je meure de ne pas mourir.

Sainte Thérèse d'Avila, carmélite et mystique espagnole
(1515-1582), *Le château intérieur, poésies II*

Prière d'un malade dans l'angoisse

Maintenant, que puis-je attendre, Seigneur?
mon espérance repose en toi:
Délivre-moi de tous mes péchés,
ne me fais pas la risée de l'insensé.
Je me tais, je n'ouvre plus la bouche
puisque c'est toi qui agis.

Éloigne de moi tes coups,
car je succombe aux assauts de ta main.
En reprenant tes torts, tu corriges l'homme;
comme la teigne, tu ronges ses désirs.
Tout homme n'est vraiment qu'un souffle:
écoute ma prière, Seigneur!

Prête l'oreille à mon cri,
ne reste pas sourd à mes pleurs:
Je ne suis qu'un hôte chez toi,
un passant, comme tous mes pères.
Détourne ton regard, que je respire,
avant que je m'en aille et ne sois plus.

Écoute ma prière, Seigneur;
ne sois pas sourd à mes pleurs.

Office divin

Prière du soir réconfortante

Ô, Jésus, par le pouvoir du Saint-Esprit,
Entre dans ma mémoire pendant mon sommeil.
Toutes les blessures qui m'ont été infligées, guéris-les.
Toutes les blessures que j'ai causées à autrui, guéris-les.
Toutes les relations qui ont été gâchées au cours de ma vie à cause de moi sans que j'en aie eu conscience, guéris-les.
Mais, Seigneur, s'il y a quelque chose que je puis faire – si je dois aller voir une personne à qui j'ai fait du mal – fais-moi rencontrer cette personne.
Je choisis de pardonner et je demande pardon.
Retire toute amertume de mon cœur, Seigneur, et remplis les espaces vides de ton amour.

De la méditation de la mort

1. C'en sera fait de vous bien vite ici-bas: voyez donc en quel état vous êtes.
L'homme est aujourd'hui, et demain il a disparu, et quand il n'est plus sous les yeux, il passe bien vite de l'esprit.
Ô stupidité et dureté du cœur humain, qui ne pense qu'au présent, et ne prévoit pas l'avenir!
Dans toutes vos actions, dans toutes vos pensées, vous devriez être tel que vous seriez s'il vous fallait mourir aujourd'hui.
Si vous aviez une bonne conscience, vous craindriez peu la mort.
Il vaudrait mieux éviter le péché que fuir la mort.
Si aujourd'hui vous n'êtes pas prêt, comment le serez-vous demain?
Demain est un jour incertain: et que savez-vous si vous aurez un lendemain?

2. Que sert de vivre longtemps, puisque nous nous corrigeons si peu?
Ah! Une longue vie ne corrige pas toujours; souvent plutôt elle augmente nos crimes.
Plût à Dieu que nous eussions bien vécu dans ce monde un seul jour!
Plusieurs comptent les années de leur conversion; mais souvent, qu'ils sont peu changés, et que ces années ont été stériles!
S'il est terrible de mourir, peut-être est-il plus dangereux de vivre si longtemps.
Heureux celui à qui l'heure de sa mort est toujours présente, et qui se prépare chaque jour à mourir!
Si vous avez vu jamais un homme mourir, songez que vous aussi passerez par cette voie.

3. Le matin, pensez que vous n'atteindrez pas le soir; le soir, n'osez pas vous promettre de voir le matin.
Soyez donc toujours prêt, et vivez de telle sorte que la mort ne vous surprenne jamais.
Plusieurs sont enlevés par une mort soudaine et imprévue: *car le Fils de l'homme viendra à l'heure qu'on n'y pense pas.*
Quand viendra cette dernière heure, vous commencerez à juger tout autrement de votre vie passée, et vous gémirez amèrement d'avoir été si négligent et si lâche.

4. Qu'heureux et sage est celui qui s'efforce d'être tel dans la vie qu'il souhaite d'être trouvé à la mort.
Car rien ne donnera une si grande confiance de mourir heureusement, que le parfait mépris du monde, le désir ardent d'avancer dans la vertu, l'amour de la régularité, le travail de la pénitence, l'abnégation de soi-même et la constance à souffrir toutes sortes d'adversités pour l'amour de Jésus-Christ.
Vous pouvez faire beaucoup de bien tandis que vous êtes en santé; mais, malade, je ne sais ce que vous pourrez.
Il en est peu que la maladie rende meilleurs, comme il en est peu qui se sanctifient par de fréquents pèlerinages.

5. Ne comptez point sur vos amis ni sur vos proches, et ne différez point votre salut dans l'avenir; car les hommes vous oublieront plus vite que vous ne pensez.
Il vaut mieux y pourvoir de bonne heure et envoyer devant soi un peu de bien, que d'espérer dans le secours des autres.
Si vous n'avez maintenant aucun souci de vous-même, qui s'inquiétera de vous dans l'avenir?
Maintenant le temps est d'un grand prix. *Voici maintenant le temps propice, voici le jour du salut.*
Mais, ô douleur! que vous fassiez un si vain usage de ce qui pourrait vous servir à mériter de vivre éternellement!
Viendra le temps où vous désirerez un seul jour, une seule heure, pour purifier votre âme, et je ne sais si vous l'obtiendrez.

6. Ah! mon frère, de quel péril, de quelle crainte terrible vous pourriez vous délivrer, si vous étiez à présent toujours en crainte de la mort!
Étudiez-vous maintenant à vivre de telle sorte qu'à l'heure de la mort vous ayez plus sujet de vous réjouir que de craindre.
Apprenez maintenant à mourir au monde, afin de commencer alors à vivre avec Jésus-Christ.
Apprenez maintenant à tout mépriser, afin de pouvoir alors aller librement à Jésus-Christ.
Châtiez maintenant votre corps par la pénitence, afin que vous puissiez alors avoir une solide confiance.

7. Insensés, sur quoi vous promettez-vous de vivre longtemps, lorsque vous n'avez pas un seul jour d'assuré?
Combien ont été trompés et arrachés subitement de leurs corps!
Combien de fois avez-vous ouï-dire: Cet homme a été tué d'un coup d'épée; celui-ci s'est noyé, celui-là s'est brisé en tombant d'un lieu élevé; l'un a expiré en mangeant, l'autre en jouant; l'un a péri par le feu, un autre par le fer, un autre par la peste, un autre par la main des voleurs!
Et ainsi la fin de tous est la mort, et *la vie des hommes passe comme l'ombre.*

8. Qui se souviendra de vous après votre mort, et qui priera pour vous?
Faites, faites maintenant, mon cher frère, tout ce que vous pouvez, car vous ne savez pas quand vous mourrez, ni ce qui suivra pour vous la mort.
Tandis que vous en avez le temps, amassez des richesses immortelles.
Ne pensez qu'à votre salut, ne vous occupez que des choses de Dieu.
Faites-vous maintenant des amis, en honorant les saints et en imitant leurs œuvres, *afin qu'arrivé au terme de cette vie, ils vous reçoivent dans les tabernacles éternels.*

9. Vivez sur la terre comme un voyageur et un étranger à qui les choses du monde ne sont rien.
Conservez votre cœur libre et toujours élevé vers Dieu parce que *vous n'avez point ici-bas de demeure permanente.*
Que vos gémissements, vos larmes, vos prières, montent tous les jours vers le ciel, afin que votre âme, après la mort, mérite de passer heureusement à Dieu.

Thomas a Kempis (1380-1471), moine allemand,
L'imitation de Jésus-Christ

La mort est un déménagement

Le Rabbi de Kotzk disait: «Mourir, c'est simplement déménager d'une belle maison à une plus belle encore.»

La mort est un passage

Lorsque le Baal Shem Tov tomba malade et se rendit compte qu'il allait mourir, il consola tous ses disciples, réunis autour de son lit, en disant: «Je ne suis pas le moins du monde préoccupé, car je sais que je sors par une porte pour entrer par une autre.»

Mort amère et mort douce

Le Rabbi Nachman de Bratzlav disait: «La mort est amère pour l'impie, au contraire elle est douce pour le *hassid*. C'est la porte de la vie du monde qui s'approche.»

Vie et mort

Les *hassidim* ne sont pas des chercheurs curieux des choses premières et des choses dernières. Quel est le destin de la plante qui surgit de terre? De croître et de se faner. C'est la loi et la volonté de Dieu.

L'homme doit lui aussi accepter cette loi, sans chercher le «comment» et le «pourquoi». Qu'il jouisse de manière égale d'avoir été appelé à la vie, comme de revenir à la source de son être, lorsque le moment de ce passage est arrivé.

Apprendre à mourir

Quand Rabbi Bounam fut sur le point de mourir, sa femme pleura. Il lui dit: «Pourquoi pleures-tu? Toute ma vie n'a été que l'apprentissage de la mort.»

Sagesse hassidique

Diwan (odes mystiques)

Acharné jour et nuit à scruter mon destin
Je ne sais d'où je viens, je ne sais où je vais.
Pourquoi mon existence? Pour quel exil?
Mais non, je sais, venu de là-haut, je dois y retourner.
Je suis le rossignol du paradis, en cage pour quelques jours.
Joie! Un jour viendra où je m'envolerai vers le bien-aimé,
Mes ailes battront dans sa demeure!
Mais quel est celui qui à la fois m'écoute et parle avec mon souffle?
Quel est celui qui me regarde avec mes yeux et dont la vie est ma vie?

C'est Toi, Seigneur, mon âme c'est toi.
Tu es là, je Te trouve.
Plus de repos pour moi, ma voix ne pourra plus se taire.
Guide-moi, montre-moi le chemin de Ta demeure,
Je veux goûter l'ivresse de l'Union.
Si tu devais me l'interdire, je briserais tout!
Ma prière n'est pas une prière, Seigneur.
Si mon âme ne Te voit face à face,
Quand retentit l'appel, si, tourné vers la Kabbah je prie,
C'est vers Toi seul, pour Ta seule beauté.
Je prie, gestes vains, paroles inutiles,
Prière d'hypocrite, inerte et monotone,
J'ai honte de ma prière.
Seigneur, j'ai honte.
Je n'ose plus lever les yeux vers Toi.
Pour oser la prière, il faudrait être un ange.
Mais je suis en exil, déchu et perverti.
Silence donc, silence à ma prière,
Seigneur, elle ne peut T'atteindre.
Mais je prie, je le dois, car il faut que je dise
Le tourment de mon cœur s'il est privé de Toi.

Seigneur au regard de pitié,
Pitié pour moi,
Regarde-moi.

Djalal-Al-Din Rumi, poète mystique persan (1207-1273)

Les Cent Mille Chants

(extrait)

Vous aimez aujourd'hui le lacis des maisons
Qui s'accrochent en dessous des châteaux.
Mais souvenez-vous qu'à la mort
Vous partirez par une route désolée.

Vous aimez aujourd'hui sur vos épaules
L'amoncellement des honneurs.
Mais souvenez-vous qu'à la mort
Vous partirez sans protection ni refuge.

Vous aimez aujourd'hui la profusion
Des liens de famille et de voisinage.
Mais souvenez-vous qu'à la mort
Vous vous séparerez des parents, des amis.

Vous aimez aujourd'hui accumuler
Richesses, fils, assistants, serviteurs.
Mais souvenez-vous qu'à la mort
Vous partirez nu, les mains vides, démuni.

Vous aimez aujourd'hui ajouter à l'adresse
L'héroïsme et la force physique.
Mais souvenez-vous qu'après la mort
Votre corps se retrouvera plié en trois.

Vous aimez aujourd'hui la jubilation
De votre chair et l'éclat de vos sens.
Mais souvenez-vous qu'à la mort
Vous perdrez la liberté d'en jouir.

Vous aimez aujourd'hui l'alliance
De mets savoureux et de friandises

Mais souvenez-vous qu'à la mort
Vous n'aurez plus la salive en bouche.

J'ai agi selon la Loi en vous rappelant tout cela.
Parce que je n'ai nulle activité mondaine, je suis heureux.
Ces stances des huit souvenirs que vous devez garder
Ont été chantées par Mila le yogi
Dans l'auberge du Cachemiri Gara de Tsang.
Rappelez-vous d'une exhortation si propice!

Milarepa, sage tibétain, XIe siècle

Chant VIII

(discipline du Brahman impérissable)

(extrait)

Arjua dit:

Que signifient ces expressions «ce brahman», «le domaine du Soi», «l'acte», ô Personne suprême? Et ce domaine «des êtres», celui aussi des dieux, dont tu viens de parler?

Quel est, comment se présente «le domaine du sacrifice» en ce corps, ô meurtrier de Madhu? Comment donc au moment de la mort, es-tu connaissable par ceux qui sont maîtres d'eux-mêmes?

Le Bienheureux Seigneur dit:

Brahman signifie l'Impérissable suprême. Le «domaine du Soi», c'est l'essence propre de chacun. On nomme «acte» l'émission procréatrice qui fait venir les êtres à l'existence.

Le «domaine des êtres», c'est l'état impérissable. Le «domaine du divin», c'est la personne spirituelle. Le «domaine du sacrifice», ô élu entre les êtres incarnés, c'est moi-même, présent dans ce corps d'ici-bas.

Celui qui, se souvenant de moi à son heure dernière, abandonne son corps mortel et s'en va, celui-là accède à mon être; il n'est pas de doute sur ce point.

Et, de la même manière, quel que soit l'être dont on se souvienne, lorsqu'à la fin on quitte son corps, toujours, ô fils de Kuntî, c'est à lui qu'on va, transformé en cet être même.

Donc, souviens-toi de moi en tous temps et combats, l'esprit et le jugement fixés en moi. C'est à moi que tu parviendras sans aucun doute.

Ô fils de Prthâ, on accède à la Personne suprême et divine en y pensant continuellement d'un esprit unifié par la discipline d'une pratique assidue et qui ne se laisse pas aller vers d'autres objets.

Si quelqu'un se souvient de cet antique Sage et Maître, plus petit que le plus petit, fondateur universel à la forme inconcevable, qui, couleur de soleil, se tient au-delà des ténèbres, celui-là, au moment de la mort, plein d'un espoir inébranlable, de dévotion et de force yogique, il amène, comme il faut, le souffle vital entre les deux sourcils, puis il accède à la Personne suprême et divine.

Cet impérissable que les savants en science védique énoncent, en qui les ascètes libérés du désir pénètrent, pour l'amour de qui ils suivent la voie du célibat, je vais, en bref, t'expliquer ce séjour:

Celui qui, obturant toutes les portes des sens, bloquant le mental à l'intérieur du cœur, fixant dans la tête son souffle vital, pratiquant la méditation yogique en émettant cette prière qui est l'unique syllabe impérissable, AUM, et ne pensant qu'à moi s'en va, abandonnant son corps, celui-là parvient au but suprême.

Celui qui, l'esprit libre de toute distraction, me garde constamment en sa pensée, pour ce yogin toujours unifié, je suis aisément accessible, fils de Prthâ.

Quand on s'est approché de moi, on ne risque plus la renaissance, cette impermanence, réserve de douleurs; magnanime, on est parvenu à la perfection suprême.

La Bhagavad-gita,
Le chant du bienheureux,
texte sacré hindou

Propos sur la mort

La mort n'est que du corps, jamais de l'esprit, ni du Moi. Pourquoi donc la craindre? On ne devrait ni la chercher ni la craindre, pas plus que la vie. Le cercueil est aussi réel que le berceau, le bûcher est aussi réel que la nursery; mais nous nous réjouissons de l'un et redoutons l'autre. Pourquoi? Pourquoi cet attachement éperdu aux jouissances et aux relations physiques? Je ne désire pas la vie et je ne désire pas la mort parce que la vie est quelque chose d'infiniment plus grand que cette ombre de vie, la vie du monde des phénomènes. Nous nous cramponnons à nos corps, à nos esprits, et à ceux des autres, et nous pensons avoir saisi la Vie. Il n'en est rien; nous n'avons saisi qu'un mirage, le reflet du reflet d'un reflet, rien de plus, et nous nous obstinons à l'étreindre. Quels fous nous sommes! Quel attachement insensé pour ce qui n'est pas la vie! Le véritable *sâdhak*, celui qui a une réelle aspiration spirituelle, ne s'attache pas à la vie, ni n'aspire à la mort, parce que ni l'une ni l'autre n'ont de réalité pour lui. Apprenons à être complètement indifférents envers l'une et l'autre et à faire en sorte de progresser afin d'être capable d'employer au mieux le court espace de vie qui nous est donné. Nous n'avons pas à craindre la mort, la nôtre ni celle d'autrui, si nous réduisons au minimum notre attachement à la vie et nos relations personnelles avec des fantômes d'hommes et de femmes, dont aucun n'a d'ultime réalité. Les relations basées sur un mirage s'avèrent toujours n'être en définitive qu'un mirage; on ne peut avoir des relations réelles avec ce qui n'a pas de réalité.

La mort des grands Êtres nous enseigne de grandes leçons. Quelles belles morts que celles des Swâmis Râmakrishnânanda, Premânanda, Turiyânanda, Brahmânanda! Seuls les mondains et ceux qui se cramponnent à leurs attachements personnels ont peur de la mort. L'être spirituel n'a jamais le sentiment de rien perdre par la mort. C'est pour lui comme passer d'une chambre à une autre. Un jour, après la mort du Maître, la Sainte Mère voulut mettre le sari des veuves, mais le Maître lui apparut et dit: «Que fais-tu? Suis-je mort? La mort n'est que le passage d'une chambre à une autre.» Et elle renonça à porter le sari de veuve.

C'est le corps qui meurt et non le Moi. Nous devons être prêts à mourir pour une juste cause sans la moindre hésitation, être prêts également à voir mourir les autres de même. Notre devise doit être: travailler pour notre propre salut aussi bien que pour celui d'autrui. C'est ce que Swâmiji voulait que nous fissions et c'est la devise maîtresse de notre Ordre.

Aussi Swâmi Vivekânanda disait-il: «Ce corps que nous nourrissons avec des aliments, qu'il soit sacrifié pour le bien de l'humanité, pour Dieu dans l'homme. Cet esprit que nous nourrissons et développons par l'étude, qu'il soit employé aussi au service de Dieu dans l'homme. Notre âme également, qu'elle soit employée au service du Seigneur en l'homme.» Ainsi seulement notre mort humaine nous conduit vers notre naissance spirituelle.

Suivez la loi supérieure. Ni optimisme ni pessimisme. Développez cette attitude d'indifférence envers toute chose, excepté l'idéal; apprenez à être parfaitement indifférents à tous autres intérêts, particulièrement à ceux de la vie matérielle et à tous les attachements et affections personnels, à toutes les choses qui vous enchaînent, qui se dressent sur le chemin de votre progrès spirituel. Soyez capable de maintenir votre parfait équilibre mental, sans vous laisser troubler par rien, gardez votre pensée fixée sur le seul devoir, votre cœur fixé sur le Seigneur, vos mains toujours occupées à Son seul service.

Toutes ces vies glorieuses sont devant nous pour nous enseigner comment vivre et comment mourir. Nous n'avons qu'à nous modeler sur l'exemple qu'ils nous ont donné si souvent. Même si nous échouons dans la bataille de cette vie, nous travaillerons, encore et encore, à travers de nombreuses naissances, avec une ardeur renouvelée. Nous nous élèverons ainsi, degré par degré, jusqu'à atteindre le but unique de notre vie.

Swâmi Yatîswarânanda,
écrit datant de 1933

Le prophète

(extrait)

Alors Almitra parla, disant:
Nous voudrions maintenant vous questionner sur la Mort.
Et il dit:
Vous voudriez connaître le secret de la mort.
Mais comment le trouverez-vous sinon en le cherchant au cœur de la vie?
La chouette dont les yeux faits pour la nuit sont aveugles au jour ne peut dévoiler le mystère de la lumière.
Si vous voulez vraiment contempler l'esprit de mort, ouvrez amplement votre cœur au corps de la vie.
Car la vie et la mort sont un, de même que le fleuve et l'océan sont un.

Dans la profondeur de vos espoirs et de vos désirs repose votre silencieuse connaissance de l'au-delà;
Et tels des grains rêvant sous la neige, votre cœur rêve au printemps.
Fiez-vous aux rêves, car en eux est cachée la porte de l'éternité.
Votre peur de la mort n'est que le frisson du berger lorsqu'il se tient devant le roi dont la main va se poser sur lui pour l'honorer.
Le berger ne se réjouit-il pas sous son tremblement, de ce qu'il portera l'insigne du roi?
Pourtant n'est-il pas plus conscient de son tremblement?

Car qu'est-ce que mourir sinon se tenir nu dans le vent et se fondre dans le soleil?
Et qu'est-ce que cesser de respirer, sinon libérer le souffle de ses marées inquiètes, pour qu'il puisse s'élever et se dilater et rechercher Dieu sans entraves?

C'est seulement lorsque vous boirez à la rivière du silence
que vous chanterez vraiment.
Et quand vous aurez atteint le sommet de la montagne,
vous commencerez enfin à monter.
Et lorsque la terre réclamera vos membres, alors vous
danserez vraiment.

Khalil Gibran (1883-1931), poète libanais

Pensées choisies

Mon Dieu, il m'était doux, au milieu de l'effort, de sentir qu'en me développant moi-même, j'augmentais la prise que vous avez sur moi, il m'était doux, encore, sous la poussée intérieure de la vie, ou parmi le jeu favorable des événements, de m'abandonner à votre Providence. Faites qu'après avoir découvert la joie d'utiliser toute croissance pour vous faire, ou pour vous laisser grandir en moi, j'accède sans trouble à cette dernière phase de la communion au cours de laquelle je vous posséderai en diminuant en vous.

Après vous avoir aperçu comme Celui qui est «un plus moi-même», faites, mon heure étant venue, que je vous reconnaisse sous les espèces de chaque puissance, étrangère ou ennemie, qui semblera vouloir me détruire ou me supplanter. Lorsque sur mon corps (et bien plus sur mon esprit) commencera à marquer l'usure de l'âge; quand fondra sur moi du dehors, ou naîtra en moi, du dedans, le mal qui amoindrit ou emporte; à la minute douloureuse où je prendrai tout à coup conscience que je suis malade ou que je deviens vieux; à ce moment dernier, surtout, où je sentirai que je m'échappe à moi-même, absolument passif aux mains des grandes forces inconnues qui m'ont formé; à toutes ces heures sombres, donnez-moi, mon Dieu, de comprendre que c'est Vous (pourvu que ma foi soit assez grande) qui écartez douloureusement les fibres de mon être pour pénétrer jusqu'aux moelles de ma substance, pour m'emporter en Vous.

Oui, plus, au fond de ma chair, le mal est incrusté et incurable, plus ce peut être Vous que j'abrite, comme un principe aimant, actif, d'épuration et de détachement. Plus l'avenir s'ouvre devant moi comme une crevasse vertigineuse ou un passage obscur, plus, si je m'y aventure sur votre parole, je puis avoir confiance de me perdre ou de m'abîmer en Vous – d'être assimilé par votre Corps, Jésus.

Ô Énergie de mon Seigneur, Force irrésistible et vivante, parce que de nous deux, Vous êtes le plus fort infiniment, c'est à Vous que revient le rôle de me brûler dans l'union qui doit nous fondre ensemble. Donnez-moi donc quelque chose de plus précieux encore que la grâce pour laquelle vous prient tous vos fidèles. Ce n'est pas assez que je meure en communiant. Apprenez-moi à *communier en mourant.*

Pierre Teilhard de Chardin (1881-1955),
théologien français

Prière dans le soir

Or Christ ressuscité depuis dix-huit cents ans,
Vient de mourir encore, mais d'une mort tout autre;
Et dans ce siècle obscur il a plus d'un apôtre
Et plus d'un pèlerin dans les doutes présents.

Il vit. La nuit immense a beau venir sur nous,
Ténèbres de l'esprit qui nie et qui calcule;
Nous avons beau sentir, dans l'affreux crépuscule,
Défaillir à la fois nos cœurs et nos genoux,

Chacun de nous revoit dans la nuit de son âme,
Ce fantôme divin, pur esprit, noble chair,
Qui nous a fait tout homme et tout enfant plus cher,
Notre mère plus tendre et plus douce la femme.

Chacun de nous le voit le doux spectre voilé,
Luire ineffablement dans l'ombre intérieure,
Dans l'ombre aussi qui tombe, en cette mauvaise heure,
Du vide qui, jadis, fut un ciel étoilé.

À son charme infini qui de nous se dérobe?
Ignorant ou savant, qui donc est bon sans lui?
Tous les astres sont morts qui pour d'autres ont lui,
Mais nous sommes frôlés des lueurs de sa robe.

Là-bas derrière nous, l'affreuse ville en deuil,
Dressant sur le ciel rouge, en noir, les toits du Temple,
La hautaine cité du crime sans exemple,
Nous envoie en rumeurs les cris de son orgueil.

C'est un bruit d'or tintant sous de hauts péristyles,
C'est l'appel des soldats veillant sur les remparts;
Et le monde ébranlé craque de toutes parts
Sous le riche oublieux des mendiants hostiles;
Mais en nous, contre nous, nous avons un recours:
C'est la bonté, c'est la pitié, c'est l'Évangile;
Nous sentons tout le reste incertain et fragile;
Le ciel est vide et noir et c'est la fin des jours;

Mais le spectre d'un Dieu marche encore dans nos routes
Avec sa forme humaine au sens mystérieux.
Nos chemins effacés s'éclairent de ses yeux,
Et sa blancheur nous guide à travers tous les doutes.

Oh! puisque la nuit monte au ciel ensanglanté,
Reste avec nous, Seigneur, ne nous quitte plus, reste!
Soutiens notre chair faible, ô fantôme céleste,
Sur tout notre néant seule réalité.

Ta force heureuse rentre en notre âme plaintive
Et même les tombeaux sont clairs de tes rayons...
Toi par qui nous aimons, toi par qui nous voyons,
Reste avec nous, Seigneur, parce que l'ombre arrive!

Seigneur, nous avons soif; Seigneur, nous avons faim;
Que notre âme expirante avec toi communie!
À la table où s'assied la fatigue infinie,
Nous te reconnaîtrons quand tu rompras le pain.

Reste avec nous, Seigneur, pour l'étape dernière;
De grâce, entre avec nous dans l'auberge des soirs...
Le Temple et ses flambeaux parfumés d'encensoirs
Sont moins doux que l'adieu de ta sourde lumière.

Les vallons sont comblés par l'ombre des grands monts,
Le siècle va finir dans une angoisse immense;
Nous avons peur et froid dans la nuit qui commence...
Reste avec nous, Seigneur, parce que nous t'aimons.

Jean Aicard (1848-1921), poète de la Provence

Prière pour aller au paradis avec les ânes

Lorsqu'il faudra aller vers vous, ô mon Dieu, faites
que ce soit par un jour où la campagne en fête
poudroiera. Je désire, ainsi que je fis ici-bas,
choisir un chemin pour aller, comme il me plaira,
au paradis, où sont en plein jour les étoiles.
Je prendrai mon bâton et sur la grande route
j'irai et je dirai aux ânes, mes amis:
Je suis Francis Jammes et je vais au paradis,
car il n'y a pas d'enfer au pays du Bon Dieu.
Je leur dirai: Venez, doux amis du ciel bleu,
pauvres bêtes chéries qui, d'un brusque mouvement d'oreille,
chassez les mouches plates, les coups et les abeilles...

Que je vous apparaisse au milieu de ces bêtes
que j'aime tant parce qu'elles baissent la tête
doucement, et s'arrêtent en joignant leurs petits pieds
d'une façon bien douce et qui vous fait pitié.
J'arriverai suivi de leurs milliers d'oreilles,
suivi de ceux qui portèrent au flanc des corbeilles,
de ceux traînant des voitures de saltimbanques
ou des voitures de plumeaux et de fer-blanc,
de ceux qui ont au dos des bidons bossués,
des ânesses pleines comme des outres, aux pas cassés,
de ceux à qui on met de petits pantalons
à cause des plaies bleues et suintantes que font
les mouches entêtées qui s'y groupent en ronds.
Mon Dieu, faites qu'avec ces ânes je vous vienne.
Faites que dans la paix, des anges nous conduisent
vers des ruisseaux touffus où tremblent des cerises
lisses comme la chair qui rit des jeunes filles,
et faites que, penché dans ce séjour des âmes,

sur vos divines eaux, je sois pareil aux ânes
qui mireront leur humble et douce pauvreté
à la limpidité de l'amour éternel.

Francis Jammes (1868-1938), poète français

Prière pour le repos de l'âme d'une mère

Ô mon Dieu, je ne laisse pas de pleurer en votre présence pour celle qui vous a si fidèlement servi; pour celle qui, après m'avoir porté dans son sein pour me faire naître à la lumière passagère de ce monde, me porta depuis dans son cœur, afin de me faire renaître à votre lumière éternelle.

Ô Dieu de mon cœur, Dieu de miséricorde, quelque sujet que j'aie de me réjouir en vous et de vous rendre grâces de tout le bien que fit ma mère pendant sa vie, je veux laisser à part, quant à présent, toutes ses bonnes œuvres, et je viens implorer auprès de vous le pardon de ses péchés. Exaucez-moi, je vous en conjure, par les mérites de celui qui fut attaché pour nous à une croix, et qui, maintenant assis à votre droite, ne cesse d'intercéder pour nous.

Je sais que votre servante a pratiqué les œuvres de miséricorde, et qu'elle a pardonné du fond de son cœur à ceux qui l'avaient offensée: pardonnez-lui donc aussi, mon Dieu, les fautes qu'elle a pu commettre envers vous pendant tout le temps qui s'est passé depuis son baptême jusqu'à sa mort. Pardonnez-lui, Seigneur, je vous en supplie: que votre miséricorde l'emporte sur votre justice parce que vous êtes fidèle dans vos promesses, et que vous avez promis la miséricorde à ceux qui auront été miséricordieux.

Je crois que vous avez déjà fait pour ma mère ce que je vous demande; et cependant, Seigneur, puissent les prières que je vous offre être agréables à vos yeux. Elle-même nous recommanda de vous les adresser, et de nous souvenir d'elle à l'autel du Seigneur.

N'oubliez pas, mon Dieu, que celle pour qui je vous prie avait fortement attaché son âme, par les liens d'une foi inébranlable, à cet adorable mystère de notre rédemption. Que rien ne puisse donc l'arracher à la protection de son Dieu; que l'ennemi ne réussisse, ni par la ruse ni par la force, à la séparer de vous; que son âme repose dans la paix éternelle.

Ainsi soit-il.

Saint Augustin (354-430)

Prière après la mort d'une personne chère

Hélas! si vous l'aviez voulu, Seigneur, elles ne couleraient pas de mes yeux, ces larmes brûlantes, que je répands aujourd'hui en votre présence; si vous l'aviez voulu, il vivrait et serait encore près de moi, cet être tendrement aimé dont la mort a brisé mon cœur. Mais j'adore votre volonté, dont les desseins sont impénétrables et qui est toujours miséricordieuse, jusque dans ses rigueurs apparentes; j'essaye de m'y soumettre sans murmure; je baisse la tête et j'accepte, ô mon Dieu, en l'unissant à la vôtre, la croix douloureuse dont vous m'accablez. Je vous conjure seulement de m'aider à la porter, afin de rendre possible à mon pauvre courage un sacrifice qui me semble au-dessus de mes forces.

Ô Seigneur, soutenez mon cœur abattu; ranimez-le par les pensées consolantes de la foi, afin que je ne m'attriste pas comme ceux qui sont sans espérance. Car je le sais, ô mon Sauveur! vous avez vaincu la mort; celui qui a cru en vous ne meurt point à jamais, et cette mort passagère, qui n'est qu'un sommeil, nous fait entrer dans l'éternelle vie. Je le sais encore: les liens que vous avez formés vous-même, les affections que vous avez bénies, peuvent bien être séparés pour un temps sur cette triste terre: mais ils doivent se retrouver au ciel, là où l'on s'aime mieux encore, parce qu'on ne s'aime qu'en vous, ô mon Dieu: là où les familles dispersées ici-bas par la mort se réunissent et se reforment pour ne plus se quitter. Recevez donc dans votre royaume celui que je pleure, ô mon Père, oubliez ses fautes, faites-lui miséricorde, donnez-lui votre paix. Et accordez-moi, Seigneur, tant qu'il vous plaira que je vive, de me sanctifier de telle sorte par la souffrance, que je sois un jour réuni à ceux que j'ai tant aimés, et à vous, mon Dieu, que je dois aimer plus que toutes choses.

Ainsi soit-il.

Prière de sépulture

Ô mon Dieu, ce mort est ton serviteur
Le fils de ton serviteur
Le fils de ta servante.
C'est Toi qui l'as créé et lui a permis de vivre.
C'est Toi qui l'as fait mourir et c'est Toi qui le ressusciteras.
Tu connais mieux que personne ses actes et son cœur.
Nous venons à Toi, pour intercéder en sa faveur,
Accueille notre prière [...]
Ô mon Dieu, s'il a fait le bien,
rends-lui au centuple.
S'il a fait le mal, sois indulgent pour lui.
Ô mon Dieu, il est devenu Ton hôte
Et personne ne reçoit aussi bien que Toi.
Il a besoin de la Miséricorde, et Toi
Tu peux te passer de le châtier.
Ô mon Dieu, affermis ses paroles,
quand il sera interrogé.
Ne lui inflige pas épreuves
qu'il ne pourrait supporter.
Ô mon Dieu, ne nous prive pas de la récompense
que tu lui donneras.
Et fais qu'après lui,
rien ne nous détourne de Toi.
Ô mon Dieu, pardonne à nos vivants et à nos morts,
à nos présents et à nos absents, à ceux d'entre nous qui sont jeunes et à ceux d'entre nous qui sont âgés, aux hommes et aux femmes.

Tu connais nos actes et tu sais la demeure qui nous
est réservée.
Pardonne à nos parents et à ceux qui nous ont précédés dans la foi, aux musulmans et aux musulmanes, aux croyants et aux croyantes, vivants ou morts.
Ô mon Dieu, celui d'entre nous que Tu fais vivre,
fais le vivre dans la foi.
Celui que tu fais mourir, fais-le mourir dans l'Islam.
Rends-nous heureux par ta rencontre.
Purifie-nous, pour la mort.
Rends-la bonne pour nous et mets-y notre repos et notre joie.

BIBLIOGRAPHIE

BEAULAC, Jules. *Priez comme vous voulez, mais priez!*, Montréal, Éditions Paulines, 1984.

BRAHMÂNANDA, Swâmi. *Discipline monastique*, Paris, Éditions Albin Michel, 1979.

BROWN, Joseph Epes. *L'héritage spirituel des Indiens d'Amérique*, France, Éditions Le Mail, 1990.

CALVET, J. *Morceaux choisis des auteurs français du xe au xxe siècle*, Paris, J. de Gigord, éditeur, 1939.

CARREL, Dr Alexis. *La prière*, Paris, Éditions Librairie Plon, 1944.

CLAVIER, Michèle. *Prier avec Marie*, Strasbourg, Éditions du Signe, 1995.

COELHO, Paulo. *Manuel du guerrier de la lumière*, Paris, Éditions Anne Carrière, 1998, pour la traduction française.

CORNEILLE, Pierre. *Œuvres complètes*, Paris, Éditions Gallimard, 1984.

DELUMEAU, Jean et Sabine MELCHIOR-BONNET. *Des religions et des hommes*, Paris, Éditions Desclée de Brouwer, 1997.

DE SAINT-DAMIEN, Marie. *Sainte Claire d'Assise*, Paris, Éditions du Seuil, 1962.

FOUCHET, Max-Pol. *Anthologie thématique de la poésie française*, Paris, Éditions Seghers, 1958.

GALOT, J. *Guéris-moi, Prières dans la maladie*, Louvain (Belgique), Éditions Sintal, 1979.

GIBRAN, Khalil. *Le prophète*, Paris, Éditions Casterman, 1956 (imprimé à Tournai, en Belgique, en 1975).

HUGO, Victor. *Les voix intérieures*, Paris, Librairie A. Hatier.

HUISMAN, Denis et Marie-Agnès MALFRAY. *Les plus grands textes de la philosophie orientale*, Paris, Éditions Albin Michel, 1992.

KAULE, Omar H. et Youssef MOUAMMAR. *Sélection des hadiths du prophète de l'islam*, référence de El-Bokhârie, Maryland (É.-U.), Library of Congress, éditions I.I.F.S.O. et F.I.M.C., 1991.

KRISHNAMURTI, J. *Commentaires sur la vie*, tome I, Paris, Éditions Buchet/Chastel, 1986.

KUSHNER, Eva. *Rina Lasnier*, Ottawa, Éditions Fides, 1964.

LAGARDE, André et Laurent MICHARD. *XXe siècle, Les grands auteurs français*, Paris, Éditions Bordas, 1968.

LAO-TSEU. *Taö to king*, Paris, Éditions Gallimard, 1967.

LELONG, Michel. *Le don qu'Il vous a fait, textes du Coran et de la Bible*, France, Éditions Le Centurion, 1977.

LIFSCHITZ, Daniel. *Sagesse hassidique*, Monaco, Éditions du Rocher, 1997.

MAGLIONE, Marie. *Les plus belles prières du monde,* De Vecchi Poche, Éditions De Vecchi, S. A., 1995, Imprimatur mars 1974, René Boudon, évêque de Mende.

MAIN, John, Dom. O.S.B. *La mort, voyage intérieur*, Conférence au quatrième colloque international sur les soins palliatifs, à Montréal, le 6 octobre 1982, publié par Le Prieuré bénédictin de Montréal, 1989.

MÈRE TERESA DE CALCUTTA. *La joie du don*, Paris, Éditions du Seuil, 1975.

MICHEL-ANGE. *Poésies*, Paris, Librairie A. Hatier.

PAUWELS, Louis. *L'apprentissage de la sérénité*, Paris, Retz, 1978.

RACINE, Jean. *Œuvres complètes, I*, Paris, Éditions Gallimard, 1950.

RIMPOCHÉ, Dugpa. *Préceptes de vie*, Paris, Presses du Châtelet, 1996.

ROY, Paul-Émile. *Rêveries dans les Laurentides*, Brossard (Québec), Humanitas, 1998.

SAINT AUGUSTIN. *Les confessions*, Paris, Éditions Flammarion, 1964.

SAINT-DENYS-GARNEAU. *Poésies complètes*, Ottawa, Éditions Fides, 1949.

SAINTE THÉRÈSE D'AVILA. *Œuvres complètes, IV, Le Château intérieur, Poésies*, Paris, Éditions du Cerf, 1982.

STEINMETZ, Paul. *Les Sioux Lakotas*, Aix-en-Provence, Éditions Le Mail, 1992.

SUZUKI, Daisetz Teitaro. *Essais sur le bouddhisme zen*, Paris, Éditions Albin Michel, 1972.

TRUNGPA, Chögyam. *Le mythe de la liberté et la voie de la méditation*, Paris, Éditions du Seuil, 1979.

WEIL, Simone. *Attente de Dieu*, Paris, Éditions Fayard, 1966.

La Bhagavad-gita, traduction, introduction et commentaires par Anne-Marie Esnoul et Olivier Lacombe, Paris, Éditions du Seuil, 1976.

La prière, Anthologie des prières de tous les temps et de tous les peuples, choix et préface par Alfonso M. di Nola, Paris, Éditions Pierre Seghers, 1958.

La tradition islamique, textes choisis et présentés par Michel Lelong et Sahar Moharram, France, Éditions C.L.D., 1979.

Les grands textes spirituels du monde entier, choix et présentation de Eknath Easwaran, Montréal, Éditions Fides, 1997.

Les religions d'Afrique noire, textes et traditions sacrés, Paris, Éditions Fayard-Denoël, 1969.

L'imitation de Jésus-Christ, traduit du latin par Félicité de Lammenais, Paris, Éditions du Seuil, «Livre de vie», Points Sagesses, 1961.

Livre des jours, office romain des lectures, Paris, Éditions Le Cerf, Desclée de Brouwer - Desclée - Mame, 1976.

MME LA C^SSE^ DE FLAVIGNY, *Recueil de prières, de méditation et de lectures*, tirées des œuvres des Saints Pères, des écrivains et des orateurs sacrés.

Pascal par lui-même, textes présentés par Albert Béguin, Paris, Éditions du Seuil, 1952.

Prier avec saint François d'Assise, textes présentés par Jean-Pierre Delarge, Montréal, Éditions Fides, 1980.

Prière du temps présent, Le nouvel office divin, Paris, Éditions Desclée de Brouwer, 1969.

Prières du matin et du soir, avec l'autorisation de l'ordinaire de Montréal, Fondation Baillargé, 100, boul. de Lotbinière, C. P. 215, Vaudreuil-Dorion (Québec) J7V 7J5, 1986.

Prières le long du sentier (petit livret), traduit par Aline Desbois, tiré de: *Ass. de la Médaille Miraculeuse*, Ordre hospitalier de Saint-Jean-de-Dieu, Montréal, Éditions Paulines, 1982.

Trésor des âmes pieuses, ou divers moyens d'atteindre la perfection chrétienne, Éditions Léon XIII, Beauchemin et fils, 1891.

TABLE DES MATIÈRES

À MARIE

ÊTRE GUIDÉ

LES DEMANDES

L'AMOUR ET LE SUCCÈS

LA FRATERNITÉ

LA NATURE ET LA CRÉATION

LA VIEILLESSE

LA SAGESSE

LA MALADIE ET LA MORT